« RÉPONSES »
Collection créée par Joëlle de Gravelaine

DU MÊME AUTEUR

Mon bébé mange bien, Balland/Jacob-Duvernet, 1998
Mon bébé dort bien, Balland/Jacob-Duvernet, 1998
Pourquoi votre enfant est fan de Disney, Hachette, 1998
Attendre mon enfant, aujourd'hui, Fixot, 1995,
   rééd. 97, rééd. 99
Élever mon enfant, aujourd'hui, Fixot, 1995,
   rééd. 97, rééd. 99
Mémoires d'un nouveau-né, Nathan, 1991
Je vois grandir mon enfant, Nathan, 1991
Maux d'enfants, Denoël, 1990
Pourquoi tous les enfants aiment Mickey, Eshel, 1988
Maman écoute ton cœur, de l'Instant, 1988
100 questions à ma pédiatre, de l'Instant, 1988

À paraître

Le Roi-Bébé – Album de naissance, Hachette, 1999
VIDÉO : *Naissance d'une maman*, TF1 Vidéo, 1996

EDWIGE ANTIER

J'AIDE
MON ENFANT
À SE CONCENTRER

Une méthode pour favoriser sa réussite

ROBERT LAFFONT

© Éditions Robert Laffont, S.A., Paris, 1999
ISBN 2-221-08919-7

Ce livre est dédié à mon mari, Robert Regard : en partageant brillamment ma vie et ma passion pour la santé et la psychologie des enfants, il décuple chaque jour mon énergie à leur service. Sa formation d'ingénieur me permet d'aller plus loin dans la compréhension du fonctionnement si mathématique des neurones enfantins...

PRÉAMBULE

La passion du pédiatre est de donner au bébé, puis au jeune enfant, tous les atouts pour s'épanouir dès ses premières années puis dans la vie adulte. La faculté de se concentrer pour communiquer avec les autres, comprendre leurs messages et apprendre rapidement fait partie de ces atouts. Durant trente ans de travail avec les enfants et leurs parents, en me perfectionnant en psychologie, en créant une équipe multidisciplinaire, j'ai pu constater à quel point les familles peuvent être conseillées et accompagnées de façon à favoriser l'épanouissement et la réussite de leur enfant. Voici le fruit de ce travail.

Introduction

LE NOUVEAU MAL DU SIÈCLE

Les troubles de la concentration sont devenus la principale cause de difficultés scolaires. Les enseignants s'en plaignent, les parents aussi.

On incrimine les rythmes scolaires infernaux, le coucher trop tardif des enfants, la télévision trop présente, les jeux électroniques, le laxisme des parents, le travail des mères... Quoi qu'il en soit, nos enfants ne se concentrent plus et leur répéter « concentre-toi » ne sert à rien. Le parcours entre l'étudiant qui « aide à travailler », l'étude d'où l'on espère qu'il reviendra avec les devoirs faits, l'orthophoniste, les cours de soutien, la psychologue, le tout émaillé de gronderies parce que vous êtes pressé, parce que vous êtes fatigué, parce que vous êtes énervé, tout cela laisse les enfants désemparés, fuyant l'effort et se réfugiant plus que jamais dans leurs jeux et devant la télévision.

Et ces enfants sont d'autant plus démotivés qu'ils pensent être inintelligents. « Je suis nul ! » disent-ils lourdement dans le secret du cabinet pédiatrique, même s'ils ont l'air désinvoltes à l'école. Il faut dire que leurs enseignants confondent volontiers troubles de concentration et faiblesse de l'intelligence : une étude menée sur l'attention des élèves vue par les maîtres (Maurer et

Freilinger, 1994) nous apprend que les enfants ayant des problèmes de concentration en CP et en CE1 sont qualifiés par les enseignants comme non motivés et non intelligents, bien que ces enfants s'avèrent aussi intelligents que les autres lors des tests qui n'utilisent pas l'intelligence verbale.

On estime aujourd'hui que plus d'un écolier sur dix a un trouble de l'attention. Alors, de quoi s'agit-il exactement ? Est-ce une maladie nouvelle, un dysfonctionnement du cerveau, une réaction à un environnement mal adapté, une forme de fuite psychologique, un manque de maturité ?

Je me propose d'éclairer les difficultés de concentration en vous apprenant à les reconnaître à temps, en vous aidant à en comprendre le mécanisme sous l'éclairage des travaux les plus modernes et en vous suggérant des attitudes préventives et curatives.

J'espère ainsi apporter un soulagement à des milliers de petits enfants malheureux et de parents découragés. Lever le voile sur le mystère de ces troubles permet une prise en charge efficace autour d'un projet éducatif cohérent.

Non, les difficultés de concentration ne sont pas une fatalité !

Nous allons ainsi voir :

– comment et à quel âge se révèlent habituellement les difficultés de concentration ;

– comment vous pouvez tester les facultés de concentration de votre enfant ;

– quels professionnels peuvent pratiquer une évaluation plus fine de ses particularités de fonctionnement mental ;

– je vous inviterai aussi à découvrir les caractères souvent associés au déficit de concentration. En connaisant bien la personnalité de votre enfant, vous l'aiderez à progresser ;

— nous nous plongerons dans les progrès stupéfiants de l'imagerie cérébrale et de la neurophysiologie pour comprendre ce qui se passe au niveau du cerveau de l'enfant lors de ses efforts de concentration ;

— nous verrons comment des traitements simples peuvent corriger les troubles de concentration, permettant ainsi d'éviter l'échec scolaire avec ses graves conséquences ;

— nous verrons aussi comment on peut, par une bonne connaissance des mécanismes de la concentration, développer les facultés d'attention de l'enfant dès le berceau et l'aider ainsi à s'épanouir sans difficulté en favorisant son ouverture au monde qui l'entoure et sa curiosité d'apprendre.

1

IL NE SE CONCENTRE PAS !

La révélation

La révélation des troubles de concentration a presque toujours lieu de la même façon, selon le même rituel : tout va bien, votre petit Quentin est gentil, peut-être un peu turbulent mais tellement vif et joyeux. Puis, vous recevez son bulletin. Les notes ne sont pas fameuses et le commentaire de l'institutrice est clair : « Si Quentin ne fait pas un effort pour se concentrer, il aura des difficultés à passer dans la classe supérieure ! » Vous grondez Quentin. Pendant ce temps, il ne cesse d'agiter son porte-couteau et de balancer ses pieds dans les jambes de sa sœur. C'est vrai ! Cet enfant n'est pas très attentif...

D'une certaine façon, vous n'êtes pas surpris par le commentaire de la maîtresse. En aidant votre enfant à faire ses devoirs et apprendre ses leçons, vous avez déjà remarqué sa distraction. Mais n'ayant guère de points de comparaison, vous vous êtes dit qu'après tout c'est un garçon (les troubles de concentration sont beaucoup plus fréquents chez les garçons que chez les filles), il a besoin de se dépenser physiquement, et puis il aime trop jouer.

Et si l'enseignante pointe la difficulté, c'est que l'inattention de votre enfant nuit à ses résultats : en comparant sa moyenne avec la médiane de la classe, vous vous apercevez qu'il n'a pas le niveau normalement requis. Vous faites alors un bon petit cours de morale à votre fils, en lui expliquant qu'il ne doit pas s'intéresser aux copains, aux mouches qui volent ou à sa règle qui tombe, mais qu'il doit écouter consciencieusement la maîtresse et réfléchir sur ses exercices. Et dès lors, en attendant le rendez-vous avec l'enseignante, vous avez tendance, le soir, lorsque vous lui faites faire ses devoirs, à le houspiller : « Mais fais un effort, concentre-toi ! » Et si le petit garde un air absent, c'est qu'il ne sait pas quel couvercle lui permettrait magiquement de retenir sa pensée qui s'échappe.

En même temps, quelque chose vous réconforte : vous préférez lire sur son carnet « difficultés de concentration » plutôt que « Quentin manque de moyens intellectuels » ou « Quentin est un paresseux ». Il est vrai que, heureusement, les instituteurs ont banni ces mots désobligeants de leur vocabulaire. Mais au fond de vous-même flotte, reconnaissons-le, un doute. Et si Quentin était tout simplement moins intelligent que les autres ?

Même si vous préférez ne pas formuler cette interrogation en famille, vous la posez volontiers dans l'intimité du cabinet pédiatrique. Cette consultation vous permettra de faire le point des difficultés, de choisir la méthode adaptée et de réconforter l'enfant sur lui-même : il est le premier à douter de son intelligence. « Je suis nul », dit-il si souvent. La distinction entre difficulté de concentration et déficit intellectuel est donc importante pour lui comme pour vous. Je vous donnerai quelques clés qui vous rassureront, car des tests simples permettent de différencier les troubles de l'intelligence des troubles de la concentration.

C'est toujours avec une certaine appréhension que vous allez à la rencontre de l'institutrice. Elle vous précise généralement pourquoi elle parle de difficultés de concentration : l'attention de l'enfant s'échappe rapidement ; il n'écoute pas les consignes des exercices jusqu'à la fin et ne peut donc pas y répondre clairement. Lorsque l'enseignante a le temps et la patience de lui rappeler personnellement l'énoncé du problème, l'enfant est alors capable de le résoudre ; mais si elle se détourne de sa table pour s'occuper d'un autre enfant, l'attention se délite à nouveau et la fin de l'exercice n'est pas correctement effectuée. L'esprit de l'enfant flotte, saute d'un centre d'intérêt à un autre. Il s'agite, triture sa gomme, lâche sa règle, puis fait rire son voisin, et son manque de concentration se répand comme une maladie contagieuse. C'est pourquoi l'enseignante s'avoue excédée. Quentin semble s'enfermer dans un personnage d' « affreux jojo » qui dissipe la classe ; il joue ce rôle de plus en plus assidûment. Dès lors, dans le discours de l'enseignante, le manque de concentration devient agitation, perturbation... Oui, les facultés de concentration sont aujourd'hui considérées comme l'un des facteurs essentiels de la réussite ou des difficultés scolaires. Pourtant cette importance unanimement reconnue ne repose pas sur une définition claire et entraîne des informations utiles aux parents et autres maîtres. Aussi vous qui alliez voir l'enseignante pour un problème précis et un conseil, sortez-vous souvent de l'entretien démoralisé, prêt à assener de longs discours de morale à votre petit. La spirale de l'échec est enclenchée.

Or, cette spirale, votre enfant peut en sortir grâce à une meilleure compréhension du problème et une méthode adaptée. Encore faut-il que vous ayez été averti suffisamment tôt. Car la difficulté de concentration se manifeste habituellement à des âges que j'appellerai « les âges clés ».

Les âges clés de la révélation

L'âge auquel vous allez être confronté aux difficultés de concentration de votre enfant dépend de plusieurs facteurs :

– La vigilance de l'institutrice. Il est évident qu'une enseignante observatrice et concernée par l'enfant, ayant de bons rapports avec les parents et suffisamment disponible pourra vous révéler plus tôt la difficulté de concentration qu'une enseignante moins motivée et ne cherchant pas le contact avec les parents. À vous donc, chers parents, d'aller à la pêche aux informations et de demander rendez-vous systématiquement à l'enseignante de votre enfant en fin de trimestre, rendez-vous personnel qui vous permettra de faire le point avec elle. Vous saurez ainsi qu'un problème se pose ; et sinon vous aurez attiré son attention sur votre enfant en particulier : la maîtresse sera plus vigilante et plus disposée à vous donner des nouvelles quelques semaines plus tard.

– Votre disponibilité et votre intérêt pour les apprentissages de votre enfant sont aussi, bien sûr, des facteurs qui favoriseront un dépistage plus précoce des difficultés de concentration. Je ne saurais trop vous encourager à ne pas démissionner de votre rôle en comptant uniquement sur l'école, car les classes sont souvent trop chargées pour un suivi personnalisé. Si vous étudiez le cahier de la semaine, observez les fautes faites par votre petit, si vous participez à ses devoirs, si vous favorisez le contact avec l'enseignante, vous serez évidemment plus informé qu'un parent n'allant jamais chercher lui-même son enfant à l'école, déléguant complètement les devoirs, ne regardant pas le cahier de la semaine et signant les bulletins les yeux fermés... Il est vrai que, dans notre société où les parents vivent sous la pression du travail et des

soucis, ces cas-là ne sont pas exceptionnels, en particulier s'il s'agit du deuxième ou du troisième enfant de
la famille. Nous allons donc voir plus loin dans cet
ouvrage les attitudes et les petits exercices qui vous permettront de réagir promptement aux signaux envoyés
par les enseignantes.

6 ans, l'âge de la lecture

C'est le plus souvent vers le milieu du cours préparatoire que l'institutrice fait part de difficultés. Cette septième année est en effet très sensible puisque c'est celle
de l'apprentissage de la lecture. C'est pourquoi c'est
l'année pendant laquelle se révèlent souvent les difficultés de concentration. Vous en êtes d'autant plus étonnés que les classes de maternelle se sont passées dans la
joie et que vous ne pensiez pas que des complications
allaient survenir.

Mais si vous l'avez aidé à faire sa petite page de lecture le soir, vous vous êtes souvent rendu compte que :

– votre enfant ne prend pas de plaisir à faire cet exercice le soir ;

– son attention s'échappe à la première difficulté, aux
premières syllabes à consonance nouvelle ;

– il déchiffre une puis deux syllabes du même mot,
oublie la première et ne les associe plus ;

– lorsque votre enfant lit une ligne de texte, il la
comprend, mais dès la deuxième ligne abordée, il oublie
ce qu'il avait compris lors de la première ligne ;

– il a tendance à pleurer devant sa page de lecture et à
soupirer avant d'arriver à la fin du texte.

L'institutrice vous explique que, pendant la classe, il
participe peu, fait des interventions sans rapport avec la
leçon et n'intègre pas bien les associations de lettres
apportées par les nouveaux apprentissages.

Le choix de la méthode de lecture influe-t-il sur les facultés d'apprentissage et de concentration ?

Il existe de nombreuses méthodes de lecture, dont les principales sont :

– la méthode « analytique ». C'est la plus ancienne, celle de nos grand-mères. Elle consiste à connaître d'abord les lettres, puis à les combiner entre elles pour former des syllabes, enfin à regrouper les syllabes pour former des mots, puis des phrases ;

– la méthode « globale » consiste à faire reconnaître l'ensemble d'un mot avant d'en analyser les composants, syllabes puis lettres. Cette méthode espère motiver l'enfant pour la lecture, puisque, dès le début, les mots qu'il lit ont un sens pour lui. Il analysera la structure du mot ensuite ;

– la méthode « semi-globale » est une synthèse de ces deux méthodes, c'est la méthode la plus utilisée en France aujourd'hui.

Personnellement, je pense qu'il faut rester assez classique, ne serait-ce que pour favoriser le lien entre l'enfant et ses parents, en leur permettant de transmettre ce qu'eux-mêmes ont appris. Comme nous le verrons au cours de cet ouvrage, la pensée de l'enfant est universelle et répond aux mêmes lois depuis la nuit des temps. L'utilisation de méthodes que les parents appréhendent mal brise le lien magique et délicieux qui s'établit avec l'enfant autour de la petite page de lecture du soir.

Le type de méthode joue-t-il un rôle dans la difficulté de concentration ? Les parents incrimineront volontiers le choix par l'institutrice d'une méthode qui les désarçonne : il est commode de blâmer l'enseignante plutôt que votre enfant. Mais mon expérience comme les enquêtes de l'Éducation nationale montrent que le nombre d'enfants ayant des difficultés pour apprendre à lire reste constant quelle que soit la méthode utilisée. Je pense simplement qu'il faudrait stabiliser les méthodes d'apprentissage de la lecture autour de la méthode semi-globale qui, avec l'expérience, a rallié la majorité des enseignants, des enfants et des parents.

Si vous êtes dans un cadre cohérent d'apprentissage de la lecture, et si l'enseignante vous montre que votre enfant se concentre mal, il faut rapidement essayer de comprendre l'origine du problème. Vous pourrez alors l'analyser, puis utiliser les méthodes indiquées plus loin dans cet ouvrage pour favoriser la concentration de votre enfant et le réconcilier avec la lecture.

8 ans, l'âge de l'abstraction

Le cap des 8 ans : l'heure de vérité ! Votre enfant termine maintenant son CE1 (autrefois on l'appelait la « dixième ») : c'est l'âge où les enseignants pointent de la façon la plus précise les troubles de concentration des enfants. Ceux qui avaient des difficultés légères et ont échappé jusque-là au diagnostic sont pratiquement toujours dépistés à cet âge-là. Pourquoi ? Parce que, à 8 ans, on apprend de nouveaux concepts très précis, en particulier la soustraction, qui demande une acrobatie mentale particulière. C'est aussi l'âge où la grammaire se complique, avec les conjugaisons et les constructions de phrases. Rien d'étonnant donc à ce que les difficultés de concentration ne puissent plus passer inaperçues.

Je dirai aussi qu'il ne faut pas se réfugier passivement derrière une solution magique comme le redoublement, en pensant qu'il s'agit simplement d'un manque de maturité. Les difficultés de concentration doivent être prises au sérieux : des mesures spécifiques s'imposent. Si l'enseignant parle de difficultés de concentration à 8 ans, mobilisez-vous, vous pouvez encore inverser la spirale de l'échec.

Nous verrons plus loin les méthodes adaptées à cet âge.

11 ans, l'âge de l'organisation

Maintenant votre enfant est en classe de sixième. Ah ! cette entrée en sixième, on lui en a tant parlé ! « Tu verras, il faut te préparer, il faut t'organiser, tu auras plusieurs professeurs, un emploi du temps plus complexe, ton travail sera planifié pour la semaine suivante... » On en fait un drame, mais l'expérience me l'a montré : l'enfant qui a des difficultés de concentration en sixième les avait déjà antérieurement, elles ont simplement été négligées. Elles ne sont donc pas dues à la nouvelle organisation, elles sont simplement aggravées par elle.

Mais dans le secondaire, ce sont moins les difficultés de concentration qui sont signalées sur le bulletin de votre enfant que son manque d'efforts. Vous prenez donc rendez-vous avec le professeur principal ou avec le professeur de la matière dans laquelle votre collégien est en difficulté : celui-ci vous fait part alors de ses difficultés de concentration car il a bien vu que, même avec de la bonne volonté, la pensée de votre enfant s'échappe rapidement dès le début du cours ou de l'exercice.

Ces difficultés sont évidemment plus grandes dans les matières qui demandent le plus de concentration : les mathématiques, l'anglais et l'histoire-géographie. Elles peuvent aussi s'atténuer lorsque l'enfant a l'un de ces professeurs très compétents qui savent soutenir l'attention de leurs élèves. Je vous conseille cependant de vous centrer sur les matières où il y a des difficultés. Ne pratiquez pas la politique de l'autruche : mieux vous connaîtrez les points faibles et les points forts de votre enfant, plus vous pourrez lui apporter un soutien efficace.

13 ans, les prémices de la puberté

Si c'est à 13 ans qu'on vous parle pour la première fois de difficultés à se concentrer, c'est que le phénomène est nouveau. Pourquoi votre enfant subitement ne se concentre-t-il pas alors qu'il y arrivait parfaitement avant ? Parce qu'il entre dans cette période d'extrême métamorphose qu'est la puberté et qu'il est plus préoccupé par cette étape de son développement que par les apports intellectuels.

Dans la mesure où le phénomène est nouveau, je dirais qu'il est moins grave et moins fixé que lorsque la difficulté de concentration était ancienne et installée depuis longtemps. Il vous faudra simplement de l'écoute et un soutien spécifique pour que votre enfant puisse passer le cap de la puberté sans perdre pied dans son cursus scolaire.

3 ans... et même 3 mois !
Et si vous vous en aperceviez plus tôt ?

Comme nous l'avons vu, c'est en général entre 6 et 9 ans que l'on décèle les difficultés de concentration. Avant cet âge, la famille se dit volontiers « il est turbulent », « il a besoin de se dépenser », « il est très vif »... car c'est l'hyperactivité motrice qui domine le comportement.

Il y a cependant un profil d'enfant prédisposé au trouble de concentration :

Votre enfant risque-t-il d'avoir des difficultés de concentration ?

Répondez au test suivant, en attribuant 1 point chaque fois que vous répondez « oui » :
– L'un des deux parents a-t-il souffert de difficultés de concentration à l'école ?
– L'un des deux parents a-t-il souffert de dyslexie ?
– À 4 ans, votre enfant a-t-il des problèmes de prononciation, en particulier avec les mots à prononciation inhabituelle ?

– Votre enfant sait-il moins de comptines que ses amis de la garderie ?

– Votre enfant a-t-il du mal à repérer ou à corriger une erreur introduite dans l'une de ses comptines habituelles ?

– Votre enfant a-t-il du mal à raconter une histoire que vous lui avez déjà dite ?

– À 4 ans votre enfant possède-t-il un vocabulaire moins étendu que la moyenne des enfants ?

Si vous totalisez 4 points ou plus, votre enfant risque d'avoir des difficultés de concentration. Vous trouverez en particulier dans les derniers chapitres de ce livre les mesures de prévention qui amélioreront ses capacités d'apprentissage.

Il arrive que des parents très observateurs me disent, dès que leur enfant a 3 ou 4 ans : « Il ne se concentre pas. » J'ai même vu des parents le remarquer dès la troisième année : en jouant avec leur petit Thibault, ils n'arrivaient pas à fixer son attention ni à lui raconter une histoire, ce qui était tout à fait possible au même âge avec l'aîné ou le petit cousin. Et, pour ma part, je constate qu'effectivement les troubles de concentration sont décelables dès l'entrée en maternelle, et même avant, lorsqu'ils sont importants.

À 3 mois, certains bébés vrillent intensément leur regard dans le vôtre, tendent leurs lèvres, remontent leur diaphragme pour en sortir un « Arrheu » qui vous enchante ! Peut-être trouvez-vous ridicules ces parents qui s'extasient devant ces premières roucoulades. Et pourtant, ils donnent déjà à l'enfant ce « feed-back » qui va le tirer vers le haut, l'exercer à capter le regard de l'autre, l'attention de la mère, pour répondre en retour. D'autres bébés sont plus fuyants, plus absents, maman range le tricot, papa attend qu'il soit plus grand pour s'intéresser vraiment, et bébé vit dans sa bulle...

Nous allons voir comment ce dépistage précoce est extrêmement intéressant car c'est un âge où la réversibilité des troubles est grande et où des parents attentifs peuvent facilement récupérer la situation, avec l'aide éventuelle de professionnels. Ces aides dépendront du bilan que nous allons détailler plus loin et dont pourra bénéficier l'enfant.

En conclusion : la difficulté de concentration peut ne pas devenir un frein aux progrès de votre enfant à plusieurs conditions :
– être dépistée le plus précocement possible;
– être vécue positivement, sans dépréciation de l'enfant;
– être bien analysée, précisément étudiée, rigoureusement testée;
– et bénéficier du soutien de méthodes appropriées.
À ces conditions, les troubles de concentration seront réversibles et vous serez très heureux de voir combien, par une approche éclairée, non seulement la réussite scolaire, mais le comportement familial, amical et affectif de votre enfant se trouveront transformés.

2

QU'EST-CE QUE LA CONCENTRATION ?

La gare de triage de la pensée

Lorsque votre enfant se concentre, il trie les pensées à comprendre et à retenir, il se donne les codes qui lui permettront de se les remémorer au bon moment. Pour se concentrer, il faut être capable de fixer l'activité mentale sur un objet ou sur une tâche. Il faut pouvoir mobiliser toutes ses ressources intellectuelles vers l'apprentissage du moment. Cette mobilisation suppose que l'enfant a l'énergie mentale requise pour canaliser son attention sur la question posée et inhiber ses autres centres d'intérêt : il faut pouvoir ignorer la fourmi qui court sur la table, la télévision qu'on entend chez le voisin, ou le pot de crème à tartiner qu'essaie d'ouvrir le petit frère. Inhibant ces pôles d'intérêt, l'enfant trie les informations et fait l'effort d'écouter la question posée, d'apprécier à quelles connaissances elle fait appel, et de s'adapter à l'exercice. Il doit être capable d'appliquer les règles qu'il a déjà apprises ou d'en comprendre une nouvelle. Ainsi la faculté de concentration permet-elle l'assimilation des connaissances.

La concentration joue donc un rôle de sélecteur : elle trie la pensée. Cette activité de sélection est à la base des apprentissages puisque l'enfant ne peut pas traiter toutes les informations qui lui parviennent simultanément. En se concentrant, le cerveau pratique un filtrage, c'est-à-dire une sélection des informations pertinentes, il gère ses ressources et effectue ensuite des opérations que nous allons examiner. En situation scolaire, l'enfant doit donc effectuer une sélection parmi la multitude d'éléments auxquels il est soumis. Il doit apprendre à en ignorer certains afin de traiter ceux qui lui sont utiles.

La concentration a une double fonction

– Elle permet de fixer l'information. Plus votre enfant se concentre sur une donnée, plus sera forte la trace laissée dans sa mémoire ;

– elle permet d'accéder à l'information. Pour retrouver le chemin qui mène à la donnée préalablement inscrite dans sa mémoire, votre enfant doit faire un effort de focalisation sur les indices pertinents. Par exemple : « On me demande de dire à quel temps est le verbe " caresserons ". Pour trouver le fil rouge, je me pose la question : est-ce hier, aujourd'hui ou demain ? C'est demain. Demain, c'est le futur ! » Ainsi il doit être capable de chercher les indices de rappel de l'information. Ceux-ci auront été évoqués au moment de sa mise en place et de sa fixation.

Il y a une différence entre « attention » et « concentration »

– L'attention témoigne de l'éveil de l'enfant, de sa capacité de se mettre en état d'attente, de grande réceptivité par tous ses sens, ouvert à toute information. L'attention permet ainsi la perception et l'acquisition de l'information.

– La concentration est sélective : elle porte sur l'orientation de l'attention vers des informations sélectionnées. Lorsque votre enfant se concentre, il doit fermer ses sens à l'environnement pour percevoir dans sa pensée le détail important avec le maximum d'intensité.

Ces deux facultés, attention et concentration, interviennent toutes les deux dans les mécanismes de compréhension et de mémorisation, mais à des moments différents.

Vous pouvez parler de difficultés de concentration si votre enfant

– a du mal à se fixer sur son travail scolaire ou sur tout jeu nécessitant une attention soutenue ;

– est facilement distrait ;

– a souvent l'air de ne pas écouter l'histoire que vous lui racontez ;

– perd facilement les objets nécessaires à son travail scolaire ou à ses activités à la maison ;

– oublie ce qu'il doit faire ;

– ne parvient pas à s'organiser ;

– n'arrive souvent pas à finir ce qu'il commence.

Nous verrons des tests plus précis qui vous permettront d'évaluer ses capacités de concentration en fonction de son âge.

Les meilleures heures, les meilleurs jours pour se concentrer

Combien de temps un enfant peut-il rester attentif ?

– Entre 6 et 7 ans, les facultés d'attention ne sont que de trente minutes d'affilée. Tout cours qui demande plus de trente minutes d'attention soutenue entraîne de l'inattention. L'enfant a besoin, après une période de concentration, de courir, de crier. Les enseignants doivent donc en tenir compte, de même que vous dans les devoirs à la maison.

– Les périodes d'attention continue passeront à quarante minutes vers 10 ans, quarante-cinq minutes à partir de 11 ans.

Ce sont là des périodes mesurées en situation scolaire. Lorsqu'ils jouent, la capacité des enfants de maintenir leur attention est nettement plus grande.

Les meilleures heures pour se concentrer

La capacité de concentration est liée à des fluctuations et à des rythmes qu'il faut bien connaître : les enfants ne peuvent pas faire n'importe quoi n'importe quand !

Les épreuves de vigilance montrent qu'au fil de la journée la concentration est minimale en première heure de classe, augmente au cours de la matinée avec un pic entre 11 heures et midi, diminue après le déjeuner et s'élève durant l'après-midi avec un pic entre 17 et 18 heures. On trouve les mêmes résultats pour des enfants allemands, anglais, espagnols ou français, et quel que soit l'âge.

Les meilleures périodes d'attention se situent donc au milieu de la matinée et en seconde partie d'après-midi.

La concentration au fil de la semaine

Au cours de la semaine, il y a des jours où la concentration est plus facile. Il semble que l'efficacité de l'enfant scolarisé soit la plus basse le lundi tandis qu'elle est au plus haut le jeudi et le vendredi. Cependant, si l'on prend en compte non seulement la vitesse d'exécution mais aussi l'exactitude, on trouve pour des enfants de CP et de CE1 une augmentation de la performance au cours de la semaine. Puis le vendredi, jour de la meilleure efficacité en termes de vitesse, est aussi le jour où le nombre d'erreurs est le plus élevé. C'est un signe de grande fatigue et probablement de plus grande difficulté à gérer la sélectivité de l'attention au moment du traitement des informations. Le mardi et le jeudi sont les jours de plus grande stabilité.

Les fluctuations journalières de l'attention dépendent donc de l'aménagement des rythmes scolaires. Il apparaît en effet que l'aménagement hebdomadaire traditionnel cinq jours par semaine est mieux adapté aux élèves du primaire que la semaine des quatre jours. En effet, chez les petits, le week-end complet de deux jours a des effets négatifs, pour la journée du vendredi et du lundi, car ils ont du mal à passer d'un rythme à l'autre.

La concentration, une question de maturité ?

La capacité de se focaliser sur une tâche augmente avec l'âge. On constate ainsi que la concentration s'améliore de 6 à 13 ans. C'est surtout vers l'âge de 10 à 11 ans que l'enfant parvient à filtrer les distractions pour ne pas se déconcentrer. Les plus jeunes ont une mauvaise gestion de leurs ressources attentionnelles en fonction des priorités de la tâche. Mais, en réalité, on s'aperçoit que l'on peut parvenir à une inhibition de la distraction chez des enfants de 5 ans dès lors que la tâche proposée est convenablement adaptée à eux. Autrement dit, lorsque la tâche est passionnante, même les enfants de 4-5 ans parviennent à inhiber et filtrer les distractions.

La concentration,
une question de motivation?

Certains pédagogues considèrent la motivation comme un élément primordial de la concentration. Ce n'est pas si simple car, s'il est évident que les enfants qui n'aiment pas l'école se concentrent moins bien que les autres, des critères additionnels entrent en jeu pour stimuler la concentration. On a pu ainsi démontrer l'absence de relation entre l'attitude envers l'école et l'attention. Un enfant ayant des difficultés de concentration peut ne pas parvenir à maîtriser son comportement malgré une attitude positive envers l'école. Il n'y a donc pas une relation simple et il ne suffit pas de dire que motivation entraîne concentration. Par contre, il est établi que la concentration favorise la réussite scolaire.

3

TESTEZ VOUS-MÊME
SA CONCENTRATION

Bien sûr, vous devinez que votre enfant est intelligent, qu'il comprend énormément de concepts ; mais vous exprimez souvent dans mon cabinet un petit doute : « Et s'il n'était pas assez intelligent ? Est-ce que ses difficultés scolaires ne pourraient pas en être le symptôme ? Ne devons-nous pas modérer nos exigences intellectuelles ? » Quant à l'enfant, il a souvent une image totalement dévalorisée de lui-même : « Je suis nul ! », est une expression que j'entends fréquemment, même dans la bouche de ceux qui paraissent les plus insouciants...

L'interpénétration de l'intelligence et de la faculté de concentration brouille en effet les pistes. Or il est indispensable de distinguer l'intelligence de l'enfant, qui peut être mesurée par des tests précis, et ses capacités de concentration qui peuvent influer sur sa réussite et doivent aussi être évaluées comme nous allons le voir, mais d'une façon différente.

D'abord, vous devez vérifier l'ouïe et la vue de votre enfant

En effet, les petits écoliers ne savent pas se plaindre lorsqu'ils voient mal ou entendent mal. Comme ces déficiences s'installent sournoisement, ils vivent avec, et ne se rendent pas compte qu'ils sont moins performants que les autres. Il est donc indispensable, chez tout enfant qui se concentre mal, de vérifier :

– l'acuité visuelle : comment être attentif lorsqu'on voit mal le tableau ? Il faut donc prendre rendez-vous chez l'ophtalmologiste ;

– l'audition : à l'âge de 4 ans un enfant sur quatre a une déficience auditive, généralement méconnue. Ce sont souvent des enfants bruyants, qui n'écoutent pas les parents et se font gronder. Ils ont du mal à comprendre clairement ce que dit l'enseignant. Comment, dans ces conditions, se concentrer sur ses consignes ? Un audiogramme doit donc être fait chez tout enfant en difficulté scolaire.

Mes tests pour évaluer la concentration de votre enfant

Vous pouvez évaluer plusieurs éléments qui entrent en jeu dans le pouvoir de concentration :

– D'abord, il faut tester le niveau des capacités intellectuelles de votre enfant, et je vais vous donner quelques repères qui vous permettront d'avoir une approche plus objective que l'observation parentale habituelle.

– Une fois que vous avez vérifié que votre enfant a un développement intellectuel normal pour son âge, vous pourrez tester sa capacité de concentration proprement dite.

Comment apprécier
son niveau de compréhension?

Il faut donc en premier tester le niveau de compréhension de l'enfant avant de tester ses capacités de concentration, pour être sûr que vous lui proposez une tâche accessible. En évaluant son aptitude à comprendre, on peut dire que vous appréciez surtout sa forme d'intelligence.

Son intelligence est-elle plutôt verbale ou plutôt pratique?

Votre enfant est peut-être plus habile sur le plan « verbal » ; ou plus habile sur le « pratique » (c'est-à-dire plus performant lorsqu'il peut agir sur son environnement).

– Verbal : il parle beaucoup, pose énormément de questions, a des connaissances générales importantes. Son expression orale et son vocabulaire sont d'emblée perçus. Ce sont des aspects très valorisés dans notre société et par le système scolaire.

– Pratique : il est « débrouillard » dans l'action ; il adore les jeux de construction, il aime le sport, le dessin. Ces activités développent son sens de l'observation et de l'analyse.

Voici quelques repères qui vous permettront d'évaluer le développement psychomoteur de votre enfant. Il ne faut pas les considérer comme des normes rigides, ni comme des modèles. Ils caractérisent seulement les types de comportement habituels qui tendent à exister à cet âge et favorisent la concentration. Ainsi chaque enfant a sa propre structure de pensée, avec laquelle il pourra réussir plus tard, mais peut-être avec un petit coup de pouce, une méthode personnalisée.

Quelques repères pour apprécier son niveau de compréhension et sa forme d'intelligence

à 3 ans :

le « VERBAL »
- il s'exprime par phrases
- il nomme 8 des objets sur images
- il utilise les repères temporels « quand », « heure » « aujourd'hui » ; il comprend « pas aujourd'hui »
- il sait compter jusqu'à 10

le « PRATIQUE »
- il reconnaît le rond, le carré et le triangle
- il construit un pont avec 3 cubes
- il construit une tour de 9 cubes
- il copie un cercle, dessine une croix

à 4 ans :

le « VERBAL »
- il nomme 10 images
- il connaît ses couleurs (rouge, jaune, bleu, vert)
- il est conscient d'être « plus grand » qu'un enfant de 3 ans

le « PRATIQUE »
- il fait un pont avec 3 cubes
- il copie un carré
- il sait boutonner son manteau
- il écrit son nom en caractères d'imprimerie

à 5 ans :

le « VERBAL »
- il sait dire son âge
- il compte jusqu'à 10
- il fait de longs récits
- il distingue matin, après-midi et soir

le « PRATIQUE »
- il copie un triangle
- il fait un puzzle de 4 morceaux
- le contour de son dessin représente de façon reconnaissable ce qu'il a eu l'intention de faire

à 6 ans :

le « VERBAL »
- il compte 13 jetons
- il peut montrer sa main droite et son œil gauche
- il connaît le nombre de ses doigts
- il nomme les jours de la semaine

le « PRATIQUE »
- il copie un losange
- il fait un escalier avec 10 cubes
- il reconnaît des mots isolés dans un texte
- il reonnaît sa droite de sa gauche

à 7 ans :

le « VERBAL »
- il reconnaît vite et bien les mots familiers dans un texte
- il connaît la date du jour
- il connaît la saison où l'on se trouve.
- il a acquis la conscience des fins à atteindre

le « PRATIQUE »
- il remplit les vides de ses dessins
- la taille relative des silhouettes humaines est plus exacte dans ses dessins
- il sait écrire plusieurs phrases en caractères d'imprimerie
- il écrit les chiffres de 1 à 20

à 8 ans :

le « VERBAL »
- il peut décrire un ballon en termes de forme
- il lit couramment
- il a la notion de la ponctualité
- il trouve la ressemblance entre deux entités

le « PRATIQUE »
- il sait copier ce qui est au tableau
- il commence à respecter la perspective dans ses dessins
- il sait reconnaître la gauche et la droite, sur les autres comme sur lui-même

à 9 ans :

le « VERBAL »
- il se sert du pronom « nous »
- il commente les injustices
- il sait décrire sa méthode de travail favorite
- il a la responsabilité entière de l'heure à laquelle il doit partir pour ne pas être en retard

le « PRATIQUE »
- il peut écrire un long moment
- l'écriture a une utilité pratique
- il sait s'habiller rapidement et se coiffer seul

à 10 ans

le « VERBAL »
- il possède les opérations mathématiques de base
- le temps est « quelque chose qu'indique l'horloge »

le « PRATIQUE »
- il sait s'orienter dans l'espace (prendre un bus)
- il sait mieux dessiner les choses que les dire

À partir de 10 ans, il devient plus difficile de donner des repères simples. Un psychologue habitué à pratiquer les tests pourra faire une évaluation plus fine de son intelligence. Quand peut-il être utile que votre enfant bénéficie d'un test de niveau intellectuel ?

- lorsque vous trouvez qu'il est moins performant que les autres dans ses apprentissages ;
- lorsque lui-même se considère comme moins intelligent que les autres ;
- lorsque le maître vous signale des difficultés à comprendre ;
- lorsque l'on envisage un redoublement ;

– lorsque votre enfant réussit mal, se concentre mal ;
– lorsque vous avez l'impression qu'il s'ennuie alors qu'il est peut-être surdoué. C'est le cas de ceux qui, entre 6 et 12 ans, lisent beaucoup de livres, rapidement ; s'intéressent aux encyclopédies ; préfèrent la conversation des adultes à celle de leurs camarades, qu'ils choisissent en général plus âgés qu'eux ; posent de nombreuses questions, en particulier sur l'univers, l'Antiquité, les origines de l'homme ; veulent tout comprendre ; jugent volontiers vos amis, les gens en général ; se plaignent de ne pas voir les amis qui leur conviendraient ; préfèrent travailler seul ; ont un vocabulaire très riche. Autant de remarques qui détonnent avec de mauvais résultats scolaires ; votre enfant est peut-être surdoué, et ses enseignants ne s'en sont pas aperçus, comme c'est si souvent le cas.

Dans toutes ces circonstances, un test d'intelligence vous permettra de trouver le soutien scolaire adapté à votre enfant.

Comment vous seront donnés les résultats ?

Les tests d'intelligence ne mesurent que l'intelligence logico-mathématique. Ils ne mesurent pas la maturité, la créativité, l'intelligence émotionnelle, par exemple, si importantes pour réussir. Aussi n'est-il pas souhaitable d'enfermer l'image de votre enfant dans un chiffre précis de quotient intellectuel. Le psychologue vous recevra après avoir étudié les réponses de votre enfant. Il vous alertera si des mesures éducatives particulières doivent être prises en fonction d'un Q.I. hors normes. Le plus souvent, il confirmera que votre enfant a une intelligence normale. Il faudra alors chercher plus avant les raisons de ses difficultés de concentration.

Comment apprécier sa maturité :
« Dessine-moi un bonhomme. »

Le test du bonhomme permet d'apprécier la maturité de l'enfant, ses difficultés d'apprentissage, et de mieux comprendre s'il s'agit d'un trouble pur de concentration ou d'un trouble plus complexe, mêlant perturbations affectives et problèmes de compétence intellectuelle. Ce test a une réelle valeur prédictive sur les difficultés scolaires de votre enfant. Il vous permet donc de mettre précocement en place des mesures préventives.

Mais, pour mieux cerner la personnalité et les capacités de votre enfant grâce au dessin du bonhomme, il vous faut savoir tout ce qui est exprimé à travers cette représentation.

Le dessin du bonhomme est universel, il évolue de la même façon quelle que soit la culture à laquelle appartient l'enfant : un petit Esquimau, un Chinois, un Africain ou un Européen suivent les mêmes étapes aux mêmes stades de leur développement. De même, le mode de vie, à la campagne ou en ville, en appartement ou en maison, avec ou sans chambre individuelle, ne semble pas influer sur le dessin du bonhomme.

Ce test vous permet de vérifier que votre enfant produit un dessin correspondant à son âge. Vous pouvez ainsi évaluer la normalité de ses capacités globales. Le test du bonhomme est plus qu'un simple test d'intelligence, même s'il permet de s'assurer que le niveau de développement est satisfaisant. (Notons que les dessins réalisés par les enfants bilingues dénotent souvent une plus grande précocité. On remarque le même décalage fréquent entre les filles et les garçons.)

La représentation du bonhomme constitue une projection de l'enfant. Elle fournit des indications sur la manière dont votre enfant projette l'image qu'il a de lui-

38

même, la représentation qu'il se fait de son état psycho-logique et physique, de son corps, de ses proportions et de ses possibilités motrices. Ainsi, le dessin exprime parfois un handicap : par exemple un bonhomme avec de grandes oreilles chez un enfant malentendant. Son bonhomme, c'est en quelque sorte lui-même, tel qu'il se perçoit.

De plus, le dessin évolue en même temps que l'enfant, et son évolution permet d'appréhender le degré de matu-rité.

Il teste surtout la personnalité de votre enfant : s'il est épanoui, il a en général de bonnes capacités de s'expri-mer par le dessin ; alors que s'il souffre de problèmes affectifs, il peut produire un dessin sans rapport avec sa maturité intellectuelle. (Ainsi, les enfants issus de familles monoparentales font des dessins plus souvent « en retard » que les autres.) C'est donc un bon repère de son adaptation psychoaffective (plutôt que de son âge mental). Les couleurs utilisées sont significatives ; un dessin brouillon, anguleux, l'utilisation de couleurs froides (gris, noir) et d'un nombre réduit de couleurs doivent attirer votre attention : votre petit n'a-t-il pas des soucis cachés qui inhibent ses performances et ses facultés de concentration ?

Comment demander à votre enfant de dessiner son bonhomme ?

Donnez-lui une feuille de papier blanc de format A4 que vous lui présentez horizontalement, et des feutres de toutes les couleurs. Demandez-lui : « Dessine-moi un bonhomme. Si tu n'as pas envie tout de suite, ce n'est pas grave. Et, si tu ne dessines pas très bien, non plus. Dessine-le simplement comme tu veux. » Vous ne devez pas aider votre enfant (ne lui demandez pas : « Tu n'as pas oublié quelque chose ? »), ni le presser. S'il n'est pas

sana
3 ans

Eliott
4 ans

christopher
5 ans

anaiss
6 ans

Margaux
7 ans

INTELLIGENCE, AFFECTIVITÉ, MATURITÉ :

TESTEZ VOUS-MÊME SA CONCENTRATION

Manon
10 ans

Victoria 8 ans 1/2
(enfant précoce)

Maxime
11 ans

Alice
12 ans

LE TEST DU BONHOMME

disposé, attendez qu'il en ait envie. S'il refuse absolument, peut-être est-ce dû à une angoisse de votre part ? Vous devrez alors renoncer ; ou si vous sentez que ce test est important pour mieux comprendre votre petit, vous en remettre à une professionnelle (voir p. 55).

La représentation du bonhomme évolue au fur et à mesure que l'enfant grandit :

Vers 3 ans : c'est la période dite des « gribouillages ».

À partir de 3-4 ans apparaît le fameux « bonhomme-têtard ».

C'est vers 12 ans que l'image est quasi complète. Les détails correspondent de plus en plus à la réalité et les notions de volume apparaissent (l'espace dans lequel se situe le corps).

Quatorze p. 100 des enfants dessinent un bonhomme « plus jeune » que leur âge propre. Sur ces enfants 2 p. 100 seulement ont un réel retard intellectuel. Les conflits affectifs ou psychiques, les difficultés de concentration expliquent les 12 p. 100 restants de dessins « en retard ».

Un dessin du bonhomme discordant de façon importante avec l'âge doit vous amener à consulter votre pédiatre : il devra faire la part entre une difficulté intellectuelle, un déficit moteur, des troubles affectifs ou de la personnalité. Ainsi pourrez-vous anticiper et agir dès la période préscolaire pour éviter que l'enfant ne présente des difficultés au CP.

Comment évaluer l'âge du dessin :

Compter un point à chaque détail suivant.

1 – Tête présente 1
2 – Jambes présentes : les deux de face ou de profil. S'il n'y a qu'une jambe avec deux pieds, le résultat est positif 1

3 – Bras présents : les doigts seuls ne suffisent pas, sauf au cas où un espace est laissé entre ceux-ci et le corps 1
4 – Tronc présent......................... 1
  – longueur du tronc supérieure à la largeur. 1
  – épaules nettement indiquées............ 1
5 – Bras et jambes attachés à des points corrects du tronc.
  S'il n'y a pas d'épaules, les bras doivent se trouver à l'endroit exact où se trouveraient les épaules si elles avaient été indiquées 1
6 – Cou présent 1
  – Contour du cou formant une ligne continue avec celui de la tête ou du tronc, ou des deux réunis 1
7 – Yeux présents (un ou deux).............. 1
  – Nez présent 1
  – Bouche présente 1
  – Nez et bouche représentés par deux traits, les lèvres sont indiquées............... 1
  – Narines représentées 1
8 – Cheveux représentés 1
  – Cheveux bien placés sans que la tête soit vue en transparence................... 1
9 – Présence de vêtements. Boutons. Simples hachures et transparence admises 1
  – Deux parties du vêtement. Sans transparence (chapeau et pantalon par ex.).... 1
  – Dessin complet du vêtement libre de toute transparence. Manches et pantalon sont représentés 1
  – Quatre articles vestimentaires bien marqués. Ces articles doivent avoir leurs signes caractéristiques (des chaussures doivent avoir des lacets, un talon, etc.) 1

    – Costume complet sans défaut (commerçant,
      soldat, etc.) 1
10 – Doigts présents. Ils sont présents sur les deux
      bras. Le nombre n'importe pas........... 1
    – Nombre correct de doigts. Sur chaque main,
      lorsque les deux mains sont représentées,
      sinon sur celle qui est apparente 1
    – Opposition du pouce. Nette différenciation
      entre le pouce et les doigts. Le doigt latéral
      est nettement plus court 1
11 – Bras articulés aux épaules, aux coudes ou aux
      deux 1
    – Jambes articulées aux genoux ou/et aux
      hanches............................... 1
12 – Proportion de la tête : pas plus de la moitié du
      tronc, pas moins du dixième du tronc 1
    – Proportion des bras : égaux à la longueur du
      tronc ou un peu plus longs, mais sans
      atteindre les genoux 1
    – Proportion des jambes : pas moins longues
      que le tronc et pas plus que deux fois la lon-
      gueur du tronc....................... 1
    – Proportion des pieds : pieds et jambes sont
      vus en deux dimensions. Le pied est plus
      long que haut et sa longueur correspond au
      plus à un tiers de la jambe, au moins à un
      dixième............................. 1
    – Les deux jambes et les deux bras ont deux
      dimensions........................... 1
13 – Présence du talon 1
14 – Impression de mouvement :
    – par le contour 1
    – par les articulations.................. 1
    – par les articulations de la tête 1
    – par les articulations du tronc 1

– des bras et des jambes 1
– impression d'une physionomie 1
15 – Présence des oreilles 1
– En bonnes proportions et en bonne place. 1
16 – Yeux
– présence des cils ou/et des sourcils 1
– présence des pupilles 1
– yeux plus larges que hauts s'ils sont vus de
face 1
– détail des yeux : brillance 1
17 – Menton et front présents 1
– Menton nettement distinct de la lèvre inférieure 1
18 – Tête, tronc et pieds de profil, une erreur peut
être tolérée (transparence ou fausse position
des bras ou des jambes) 1
– Profil parfait, sans les erreurs précédemment tolérées 1

Voici l'âge du bonhomme dessiné par votre enfant
selon son score :

6 points : 4 ans
10 points : 5 ans
14 points : 6 ans
18 points : 7 ans
22 points : 8 ans
26 points : 9 ans
30 points : 10 ans
34 points : 11 ans
38 points : 12 ans
42 points : 13 ans

Caroline

Quand le bonhomme met les mains dans ses poches

Ce test est basé sur la cotation de F. Goodenough. Il est particulièrement fiable pour tester l'intelligence dans sa forme logique.

Mais votre enfant peut « inhiber » son dessin lorsqu'il a des problèmes affectifs.

Ainsi, Caroline n'a pas tracé les doigts de son personnage (voir dessin p. 45). Il perdra donc 3 points au barème.

Or, la jeune fille, à 13 ans, sait parfaitement qu'il y a des doigts au bout des mains (+ 1 point) et même précisément cinq doigts (+ 1 point), et plus précisément encore un pouce opposé à l'index (+ 1 point). Mais elle a caché les mains de son personnage dans les poches parce qu'elle éprouve un profond sentiment de culpabilité comme le montreront les entretiens psychologiques. Vous comprenez ainsi que si le bonhomme dessiné par votre enfant n'a pas le score habituel pour son âge, il ne faut pas conclure que son intelligence est déficiente. D'autres évaluations pourront explorer plus précisément intelligence, affectivité et maturité. Votre psychologue dispose ainsi de tests plus poussés qui tiennent compte des composantes affectives, le test de J. Royer.

Évaluez sa capacité de concentration

Les instruments d'évaluation de la concentration ont été assez peu développés par la communauté scientifique. C'est pourquoi j'ai jugé utile de trouver de nouvelles méthodes et de les simplifier pour les rendre accessibles aux parents eux-mêmes. En cas de résultat douteux ou en désaccord avec vos constatations habituelles, je vous expliquerai ensuite vers quel professionnel vous tourner pour approfondir l'étude des possibilités de concentration de votre enfant.

Pour tester la concentration, assurez-vous que votre enfant est dans un bon état d'éveil.

Évaluez sa concentration globale :
Répondez par « oui » ou par « non »

☆ Entre 3 et 6 ans, votre enfant :
1 – préfère-t-il jouer à vider son coffre à jouets ou son petit camion, plutôt que les remplir ?
2 – préfère-t-il jouer tout seul plutôt qu'avec vous ?
3 – préfère-t-il jouer plutôt qu'écouter les histoires ?
4 – comprend-il mieux qu'il ne parle ?
5 – aime-t-il courir, sauter, jouer « à la bagarre » ?
6 – préfère-t-il les jeux vidéo aux livres ?
7 – obéit-il difficilement ?
8 – fait-il de nombreuses bêtises ?
9 – a-t-il été l'objet de plaintes d'une enseignante parce qu'il ne fait « que ce qui lui plaît » ?
10 – n'aime-t-il pas que vous lui imposiez un centre d'intérêt ?

☆ Entre 6 et 13 ans, votre enfant :
1 – prend-il beaucoup de temps avant d'entamer une activité ?
2 – lorsqu'on lui demande de faire quelque chose (aller ranger tel jouet dans sa chambre par exemple), oublie-t-il en cours de route pour faire autre chose (et éventuellement ne se souvient-il plus de ce qu'il devait faire) ?
3 – refuse-t-il systématiquement de faire certaines choses ?
4 – a-t-il du mal à rester attentif à la conversation des adultes au cours des repas ?

5 – se lève-t-il souvent pendant ses activités ?

6 – a-t-il souvent le regard dans les nuages ou occupé à autre chose ?

7 – faut-il lui répéter les énoncés ?

8 – met-il du temps à répondre ?

9 – répond-il à côté ?

10 – est-il agité pendant les repas (il remue son couteau, joue avec la bouteille, balance ses jambes...) ?

Si vous totalisez 5 « oui » sur 10 ou plus, votre enfant a une difficulté de concentration. Vous trouverez dans ce livre comment la comprendre et comment en obtenir une meilleure.

Testez sa forme de concentration, plutôt visuelle ou plutôt auditive ?

Pour assimiler et mémoriser, chaque enfant utilise plus ou moins l'un des deux hémisphères de son cerveau. Certains travaillent de préférence avec leur hémisphère droit, les autres avec leur hémisphère gauche. Cette dominance détermine des facultés spécifiques de concentration :

– les « cerveaux droits » se fixeront plus facilement par des mécanismes visuels et auront une appréhension globale des informations ;

– les « cerveaux gauches » se concentrent mieux avec l'ouïe et analysent les données avant de les mémoriser.

Voici un petit test de concentration visuelle ou auditive

Il vous permettra de savoir, dès l'âge de 7 ans, si votre enfant est plutôt visuel ou plutôt auditif. À chaque question, entourez soit la réponse A, soit la réponse B.

Quelle place choisit spontanément votre enfant sur le canapé devant la télévision ?
A. À droite du récepteur.
B. À gauche du récepteur.

Si vous lui demandez de se souvenir de son anniversaire (ou d'une autre fête récente qui l'a frappé), il vous dit en premier :
A. C'était chez mamie, il y avait mon copain Arthur...
B. Il y avait de la musique, un spectacle de guignol.

Vous lui racontez une histoire :
A. Il tourne les pages pour regarder les images plus vite que vous ne les commentez.
B. Il vous écoute attentivement.

Lorsque vous lui parlez :
A. Il faut qu'il vous regarde attentivement pour vous écouter.
B. Il vous comprend, même sans vous regarder.

Vous lui demandez de vous décrire son copain de classe :
A. Il vous décrit d'abord son visage, sa taille, ses vêtements.
B. Il vous donne d'abord son nom.

Vous lui demandez de dessiner une maison :
A. Il trace en vrac les murs, le toit, revient à une fenêtre, puis dessine le chemin, fait ensuite une autre fenêtre, les nuages, puis les rideaux...
B. Il est méthodique : d'abord la ligne de sol, puis les murs, les fenêtres, le toit, la cheminée, le ciel, de bas en haut.

Pour calculer :
A. Il compte avec ses doigts.
B. Il compte de tête.

Lorsque vous lui apprenez un mot nouveau :
A. Il préfère l'écrire.
B. Il préfère l'épeler.

Il préfère :
A. Les leçons de géographie.
B. Les leçons d'histoire.

Sur sa console vidéo, il préfère jouer :
A. À plusieurs, en équipe.
B. Seul.

Nombre de A : ..../10
Nombre de B : ..../10
L'interprétation : Si les A l'emportent, votre enfant utilise plus son cerveau droit pour se concentrer. Si les B l'emportent, c'est son cerveau gauche.

Votre enfant se concentre avec son « cerveau droit »

Il préfère les informations visuelles et les enregistre globalement. Synthétique, il apprend mieux à lire de façon globale, en allant du mot complet aux syllabes puis aux lettres, et en appréhendant simultanément toutes les notions à acquérir. Visuel, il enregistre tout ce qui attire son regard.

Pour apprendre et comprendre les comparaisons (« ça te fait penser à quoi ? »), les images, les dessins, les croquis et les couleurs l'aident beaucoup. Il aime les explications concrètes, nettes et précises.

Spontané et physiquement actif, il ressent le besoin de bouger. Il a donc du mal à se calmer pour se concentrer. Il est plus à l'aise avec les disciplines littéraires et artistiques, mais se distingue parfois en géométrie grâce à sa pensée visuo-spatiale. Le cerveau est alors particulièrement doué pour retenir des images. « Une image vaut mille mots », dit un proverbe anglo-saxon. Pour ces enfants, une idée sera d'autant plus facilement retenue qu'elle sera associée à une image. Ils préféreront retenir un mot à une suite de lettres, une phrase à une suite de mots et une image à une suite de phrases. C'est cette capacité visuelle qu'il conviendra d'utiliser au mieux pour améliorer la concentration.

Votre enfant se concentre avec son « cerveau gauche »

Il est plus auditif et analytique. Il comprend et apprend mieux avec les mots. Rationnel, il tire profit de toutes les explications orales qui lui sont proposées. Il les préfère courtes et synthétiques, car trop de détails l'impatientent. Quand il s'exprime ou répond à une interrogation, il a tendance à donner une seule réponse, qu'il considère comme la meilleure. C'est un enfant calme, travailleur, posé, qui écoute bien les adultes et les consignes de l'enseignant. Il résout ses exercices par étapes, en allant du détail à l'ensemble. Il réfléchit avant d'agir et préfère avoir du temps devant lui. Il est particulièrement apte au maniement des symboles : langage, calcul, algèbre, symboles chimiques, partitions musicales... et possède en général de bonnes capacités d'abstraction. Il est à l'aise en classe car les enseignants le comprennent bien : ils fonctionnent en général eux-mêmes plutôt avec leur cerveau gauche !

Les conséquences pratiques

Il est passionnant de prendre conscience du mode d'apprentissage de chaque enfant... et de ses parents ! Car lorsqu'un parent « cerveau gauche », par exemple, fait travailler, réfléchir son enfant « cerveau droit » ou lui expose une méthode de pensée, c'est comme s'il lui parlait une langue inconnue. Peut-être une partie de ses difficultés à se concentrer viennent-elles de là ? Lorsque votre petit n'assimile pas la leçon que vous venez de lui exposer, au lieu de répéter, il vaut mieux :

– S'il est plutôt « cerveau droit », illustrer avec des stratégies visuelles : travaillez avec un tableau, utilisez des schémas, montrez les images du livre...

– S'il est plutôt « cerveau gauche », expliquer différemment : agrémentez vos propos d'anecdotes, sollicitez ses commentaires.

Il se concentre par tous ses sens...

Votre enfant utilise tous ses canaux sensoriels pour capter les informations de son environnement. Mais il doit savoir se concentrer avec le sens approprié à chaque type d'information. Ainsi, s'il est grisé par le parfum d'une boîte de bonbons à la fraise alors que vous tentez de lui apprendre une table de multiplication, vous aurez peu de résultats.

Testez la concentration liée à son odorat

Ce test est possible à partir de 6 ans : dans de petites boîtes étanches (boîtes de film en plastique), déposez huit compresses imbibées d'extraits de plantes choisies pour leur parfum typé (broyat de roses, muguet, eucalyptus, menthe, thym, sauge, citronnelle...). Vous pouvez utiliser le jeu mieux étalonné que je vous indique en fin d'ouvrage. Demandez à votre enfant de les humer à son gré pendant quinze minutes en lui donnant le nom de chaque plante. Puis attendez dix minutes et demandez-lui à nouveau de les sentir et de les nommer. À 6 ans, au fur et à mesure qu'il les sent, il doit pouvoir en reconnaître trois en citant le nom. À 8 ans, il en reconnaît six. À 12 ans, il reconnaît les huit. S'il en reconnaît moins, c'est que le canal sensoriel « odorat » n'est pas efficace pour l'aider à se concentrer.

Testez la concentration du goût

Vous pouvez utiliser le même principe de test que pour l'odorat, mais en faisant goûter les quatre saveurs : eau sucrée, eau salée, aloès amer, citronnade acide. Le bébé, le fœtus même, est capable de faire la différence entre ces saveurs. À partir de 6 ans l'enfant est capable de se concentrer pour pouvoir ensuite les reconnaître et en donner le nom. Là aussi, dans le cas où il ne parvient pas à les différencier, cela signifie que le sens du goût ne lui apportera pas un indice particulier : il se passionnera difficilement pour la madeleine de Proust.

Testez sa concentration motrice

C'est la concentration mettant en jeu la mémoire des mouvements de son corps.

Tracez un rond. Demandez à l'enfant de le reproduire avec la main droite d'abord (s'il est droitier), puis avec la main gauche.

– Il doit en être capable en une minute à partir de 4 ans.

– À partir de 5 ans : avec les deux mains en sens convergent.

– À partir de 6 ans : avec les deux mains en sens divergent.

- À partir de 8 ans : idem les yeux fermés.
- À partir de 11 ans : idem avec une spirale.

Testez la durée de sa concentration

Voici un test classique qui vous permet d'évaluer la capacité de votre enfant de rester concentré.

Le test du Poucet

Ce texte doit être lu en une minute vingt secondes par l'enfant de fin de CE2 (8 à 9 ans). S'il le lit en plus de trois minutes ou s'il s'arrête en cours de lecture, on peut parler de retard de la lecture, généralement accompagné de difficultés de concentration.

« Robin est petit comme un pouce.

Il habite la forêt, dans une jolie petite cabane pas plus grande qu'un nid.

Il s'amuse avec ses amis les oiseaux et les animaux du bois. Un jour, il alla le matin faire une promenade bien loin.

Un soir que la pluie l'obligeait à s'abriter sous un gros champignon, il rencontra un lièvre. Alors il grimpe sur son dos. Il s'accroche à ses longues oreilles.

Le lièvre s'élance. Il court vite. Le Poucet craint de glisser. Soudain, ils s'arrêtent : attention au chasseur ! Sauvons-nous dans ce buisson. " Quel poltron ! " pense Robin qui veut poursuivre son escapade. »

Vérifiez que l'enfant a compris le sens du texte. Sinon on pourra même s'inquiéter d'une dyslexie surtout si votre petit déforme et inverse les mots en les lisant. Par exemple au lieu de dire « le Poucet », il dira « le pouce » et au lieu de dire « il habite la forêt dans une jolie petite cabane », il dira « il cha te la te dans une jol peti teca ».

Les difficultés de concentration de votre enfant doivent alors entraîner un bilan d'orthophonie, voir plus bas.

Quel professionnel peut tester sa concentration ?

En cas de difficultés de concentration, votre pédiatre peut compléter son examen d'un bilan pratiqué par :

L'orthophoniste : C'est la spécialiste du langage, de sa production (la parole) mais aussi de sa compréhension, si fondamentale pour la concentration. Le bilan prescrit par le médecin et pratiqué par l'orthophoniste bénéficie d'un remboursement de la Sécurité sociale.

La psychologue. Elle évalue la répartition des forces et des faiblesses de votre petit selon ses différentes aptitudes intellectuelles, détermine son niveau, donne les grandes lignes de sa personnalité, étudie l'interaction psychologique entre l'enfant et son environnement familial ou scolaire. Le bilan psychologique n'est pas pris en charge par l'assurance maladie ; il peut être pratiqué de façon gratuite dans un centre de service public comme les centres médico-psycho-pédagogiques.

La psychométricienne peut évaluer plus précisément le rapport entre la concentration de l'enfant, la perception qu'il a de son corps et sa motricité.

Le psychiatre évalue surtout les désordres éventuels de sa personnalité.

Le bilan peut utiliser des tests dans cinq directions, choisies selon le premier examen de votre pédiatre :
– Les tests d'intelligence : ils datent du début du XXe siècle. Des spécialistes, Alfred Binet et le docteur Simon, ont imaginé des épreuves très simples représentatives du comportement de la majorité des enfants d'un

âge donné. Les psychologues, aussi bien européens qu'américains, ont affiné régulièrement la mesure du niveau de développement de l'enfant. Ils peuvent ainsi évaluer soit sa capacité intellectuelle globale, soit sa forme d'intelligence verbale ou pratique (voir p. 33).

– Les tests projectifs : ils visent à connaître la personnalité de votre enfant, c'est-à-dire sa manière personnelle de sentir, de penser et d'agir. Ils peuvent aider à mieux comprendre l'origine de certains troubles de concentration.

– Les tests d'aptitude : ils tendent à faire la différence entre les aptitudes d'ordre intellectuel comme la mémoire, le vocabulaire, et les aptitudes d'ordre concret comme l'activité manuelle et physique.

– Les tests de niveau d'instruction : ils évaluent les difficultés scolaires en lecture, en orthographe, en arithmétique, en écriture, etc.

– Les tests de concentration proprement dite : ce sont des batteries d'épreuves conçues pour évaluer les performances de concentration (temps de réaction, Stroop Colour Word Test, Wisconsin card-sorting test).

De nouveaux tests sur ordinateur pour les bébés

Si l'enfant a moins de 3 ans, le jeu fournit une situation intéressante, dans laquelle il peut être actif et amené à exercer son potentiel d'attention. Mais cette utilisation est limitée par le fait que l'intervention et le contrôle de l'expérimentateur risquent de le perturber. Par exemple, lorsqu'on lui retire un objet afin de lui en fournir un autre, même si l'enfant ne jouait plus avec l'objet qu'il avait dans la main, son attention s'en trouve perturbée. Pour cette raison, Irène Caponni a utilisé un ordinateur dont le moniteur a un écran tactile. Les recherches effectuées avec ce système ont permis de mieux analyser les processus de concentration de jeunes enfants.

Les tâches proposées sur l'ordinateur font appel à un savoir-faire simple, comme le pointage ; ou plus complexe, comme l'apprentissage de relations de cause à effet (l'action du bébé et le résultat de celle-ci sur l'écran). Lorsque le bébé a bien repéré l'image sur laquelle il porte ses petites mains (une voiture), un distracteur visuel apparaît sur l'écran (des animaux). On observe alors que les bébés ignorent d'autant plus l'apparition secondaire du distracteur qu'ils sont plus concentrés. Et l'on vérifie l'influence de l'âge sur les capacités de concentration. Ainsi, d'après les expériences d'Irène Caponni et de Roger Lecuyer, les enfants de 15 à 18 mois se laissent davantage distraire que ceux de 21 à 24 mois ; ils se laissent distraire plus longtemps et font plus d'erreurs. Ils détournent le regard plus souvent vers le distracteur et se trompent plus fréquemment. Tandis que les enfants plus grands, même s'ils jettent un coup d'œil au distracteur, restent plus volontiers concentrés et font moins d'erreurs.

Donc les enfants de 21 à 24 mois se distinguent sur ce point de leurs cadets. Cela montre que les jeunes enfants n'arrivent pas à gérer leur concentration en fonction des variations du contexte, tandis que les plus grands arrivent mieux à s'adapter à la situation.

Ce bilan doit permettre de préciser précocement si un enfant souffre de difficultés de concentration. Il doit aussi permettre de déceler d'éventuels troubles associés. Je vais maintenant décrire des situations types qu'il faut avoir dépistées pour choisir la méthode la plus adaptée à chaque enfant.

Tester sa personnalité

Est-il un rêveur ou un « sur-concentré » ?

« Elle comprend bien, mais elle est lente... Il faudrait qu'elle se concentre mieux », avait dit la maîtresse à propos d'Amélie. Depuis, la maman houspillait la petite du matin au soir, espérant accélérer son rythme. La matinée commençait par des « dépêche-toi de t'habiller ! » ; ou « alors, Amélie, tu le bois, ce bol de chocolat ? » ; pendant les devoirs, la maman soupirait devant la lenteur de la petite : « Mais, concentre-toi donc ! » Rien n'y faisait, au contraire : l'enfant devenait de plus en plus lente, ses notes baissaient, elle était grognon, pleurait facilement. En jouant avec ses Barbies, elle retrouvait la joie et la détente. Comme elle s'en racontait des histoires ! « Elle est complètement dans la lune ! » se plaignait sa mère.

Amélie me regardait avec son petit visage fin, perplexe... Je demandai à voir les cahiers : l'écriture était appliquée, l'orthographe était correcte, les opérations justes. Certes, les devoirs n'étaient pas toujours terminés mais les réponses assez bonnes pour lui avoir valu des notes remarquables au début de l'année, encore dans la moyenne en ce moment.

Amélie est une deuxième enfant, une petite fille calme, elle a parlé au bon âge. « Mais elle est tellement rêveuse ! me dit sa mère. Sa lenteur est un vrai handicap... »

Et si nous regardions la situation sous un autre angle ?

Amélie est intelligente, tout le monde le constate. Amélie n'a pas eu de retard de langage. Voilà déjà deux données de base importantes.

Lorsque l'on croit Amélie rêveuse, déconcentrée, en fait elle pense. Je peux l'affirmer parce qu'elle ne laisse pas son imagination s'envoler au loin lorsqu'elle a une tâche à exécuter, elle pense à ce qu'elle fait : la preuve en est l'exactitude de son travail, du moins de la partie qu'elle a eu le temps de faire. Amélie n'est pas lente, elle est perfectionniste. « C'est vrai, me dit sa maman, elle est toujours inquiète de bien faire. »

Pendant la conversation, Amélie est bien assise, calme, nous écoute, son regard est attentif.

Je conclus devant l'enfant : « Amélie peut être fière de son travail. Elle n'est pas lente, elle pense intensément. Il faut cesser de la houspiller et l'encourager. Simplement, pour les tâches qui nécessitent un temps donné, elle peut s'exercer avec sa montre à entrer dans la durée impartie. Il faut la laisser gérer son temps. C'est en ayant confiance en elle qu'elle réussira, comme cela s'est passé au début de l'année. Dès qu'on l'a dévalorisée et houspillée, elle a perdu pied. Amélie n'est donc pas une petite fille déconcentrée, mais une enfant sur-concentrée. Elle réussira très bien. »

L'enfant m'a exprimé tant de gratitude par son sourire en fin de consultation que je fus certaine de lui avoir donné un élan. La maman aussi s'en est trouvée réconfortée. Depuis, les résultats sont redevenus excellents, et il est rare que le travail ne soit pas achevé, même si Amélie est souvent la dernière à rendre son cahier. Elle ne tremble plus et assume son perfectionnisme...

Souffre-t-il d'un retard de langage ?

J'ai constaté que les difficultés de concentration surviennent souvent chez un enfant qui a eu autrefois un retard de langage. Quentin a parlé tard et ses parents ne s'en sont pas trop souciés, se disant que, de toute façon, il comprenait énormément de choses. Ils constataient et vérifiaient tous les jours que leur enfant était intelligent, donc ils se disaient que le langage viendrait forcément. Nous connaissons tous des exemples d'enfants qui parlent tard mais tout à fait correctement lorsqu'ils s'y mettent. Cependant, j'ai aussi remarqué que l'on retrouve souvent les mêmes enfants ensuite à l'école primaire présentant des troubles de concentration.

Pourquoi l'enfant est en retard pour parler ?

Le retard de langage peut avoir différentes origines :
– Un trouble d'audition : c'est pour cela qu'il faut toujours pratiquer un audiogramme chez un enfant qui parle tard. Le trouble d'audition peut être la conséquence d'otites séreuses à répétition, en particulier chez les enfants gardés en crèche.
– La cause du regard de langage peut aussi être le signe annonciateur d'une dyslexie dont l'origine congénitale ou acquise fait l'objet d'un grand débat aujourd'hui (voir p. 7).
– Le retard de langage peut enfin être provoqué, comme cela se rencontre souvent, par un manque d'immersion langagière du fait d'un mode de garde n'apportant pas suffisamment de dialogue avec l'enfant dès sa première année.

Quelles sont les étapes normales du langage ?

Le nourrisson de 2 mois gazouille déjà. Il est attentif aux voix qu'il entend et s'immobilise lorsqu'une voix familière lui parle. C'est un début de concentration, dont voici un parfait exemple de la précocité. À peine quelques semaines après la naissance, certains bébés regardent plus attentivement que d'autres et écoutent plus longuement votre voix. Selon la réponse que vous donnez à leur gazouillis, ils s'habituent à attendre cette réponse, à la guetter, à chercher votre sourire. Ainsi se forgent très tôt les facultés à se concentrer.

À trois mois, bébé rit et montre son plaisir à vocaliser. Lorsqu'il produit ses premiers « arrheu », vous le voyez vous fixer, chercher les roucoulades au fond de son larynx, tendre ses lèvres, aucun son ne jaillit, il cherche encore, il se concentre sur la possibilité d'émettre son appel et à la fin vous lance des « arrheu » : comme tout parent participant aux progrès de son enfant, vous voilà complètement béat, vous paraissez alors comique aux yeux de certains amis, mais vous, vous savez quel exploit vient de faire votre petit ! Plus vous répondez à ces productions, plus il se met à gazouiller et à roucouler lorsque vous lui parlez, et plus il se concentre et réagit à votre arrivée. Il est capable maintenant, dès 3 mois, de tourner la tête quand vous l'appelez. Si vous l'appelez par un autre nom, mais avec la même tonalité et de la même longueur, sa réaction est la même.

À 4 mois, on peut donc dire que bébé comprend déjà un mot. Comme vous le voyez, le langage commence à se structurer très tôt dans la pensée du nourrisson ; et non pas, comme il est conventionnel de le dire, à partir de la première production réelle des mots, c'est-à-dire au début de la deuxième année. Il est donc tout à fait faux de penser qu'un enfant a besoin d'une garde qui parle bien au cours de la deuxième année, mais que cela n'est pas indispensable pour apprendre dès les premiers mois.

À 6 mois, le nourrisson module ses productions vocales qui tendent à se restreindre aux sons entendus dans la langue maternelle. Jusqu'à 6 mois, il était capable d'imiter la langue japonaise, américaine, italienne, etc., maintenant il commence à sélectionner ce qui appartient au registre de la langue maternelle, dont il imite les intonations. C'est dire comme il est important de confier bébé à une personne chaleureuse et communicante. Et si nous voulons qu'il devienne vraiment bilingue, c'est très jeune qu'il doit entendre une langue étrangère.

À 7 mois, le nourrisson commence à émettre des sons reconnaissables par l'adulte. Lorsqu'il appelle, il dit « m, m, m ». Il émet des sons à plusieurs syllabes « da, ba, ka ». Il sait attirer l'attention avec à-propos : il se met à tousser pour solliciter votre intérêt ou il crie lorsqu'il entend que vous vous levez.

À 8 mois, le bébé associe des syllabes « ba, ba » « da, da ». Il comprend « coucou le voilà » et « non ».

À 9 mois, bébé commence à imiter certaines expressions. Il peut dire un mot de deux syllabes, par exemple « papa », mais il n'est pas toujours sûr que cela corresponde à son papa ! Il réagit de façon adéquate à des mots familiers comme « donne », « tiens ». Il aime déjà qu'on lui raconte une histoire le soir avant qu'il s'endorme et vous pouvez jouer avec lui, ce qui exerce sa concentration. Il peut se concentrer sur un jeu pendant dix minutes.

À 12 mois, bébé comprend une trentaine de mots lorsqu'ils sont utilisés en situation habituelle, le sens de « non » et des questions ou des ordres simples comme « où est ton livre ? » « où est ton biberon ? », « assieds-toi », « mets-toi debout », « viens, nous allons nous promener ».

À 16 mois, il dit au moins une dizaine de mots, principalement des noms, en comprend une cinquantaine. Il utilise aussi un babil dénué de sens, mais celui-ci n'a pas valeur de communication, si bébé n'a visiblement pas compris que le langage est le choix de sons désignant un objet ou une action.

À 18 mois, il montre un objet simple : la chaussure, le pantalon, le couteau, la cuillère, le ballon. Il montre sur une image une voiture ou un chien. Il montre son nez, ses yeux, sa bouche. Il obéit à un ordre simple : « Porte le livre à papa ! »

À 21 mois, il assemble deux mots, utilise des verbes et des expressions. Il demande à boire, à manger. Il peut obéir à trois ordres successifs : « Porte le livre à papa, mets-le sur ses genoux et assieds-toi à côté ! » Il connaît quatre régions de son corps.

À 24 mois, il obéit à quatre ordres élémentaires. Il reconnaît trois images, il sait les désigner si on lui demande ce qu'elles représentent. Il montre cinq images si on les lui nomme : « Où est le chat ? Où est le chien ? » Il associe trois ou quatre mots. Il fait des phrases négatives ou interrogatives. Il comprend trois cents mots environ. Il utilise je, tu, moi. Il se désigne par son prénom. « Nicolas a fait... etc. » Il s'oppose volontiers en disant « non ! » Il aime que vous lui racontiez des histoires illustrées par des images.

À 2 ans et demi, il peut maintenant nommer cinq objets lorsqu'on lui demande ce que c'est ; et en pointer sept lorsqu'on lui dit « montre le chat, montre le verre... ». Il sait dire son prénom et son nom. Il répète deux chiffres une fois sur trois dans l'ordre.

L'enfant de 3 ans peut reconnaître huit images si on lui demande ce que c'est. Il comprend près de neuf cents mots. Il répète des chiffres dans l'ordre une fois sur trois. Il répète une phrase de six syllabes. Il utilise les articles, les pronoms et les adverbes. Il parle couramment. Il compte jusqu'à dix. Il connaît ses couleurs. Il emploie le pluriel. Il a une compréhension du passé, du présent et du futur. Il peut dire s'il est une fille ou un garçon.

À 4 ans, l'enfant connaît au moins quinze verbes.

À six ans, il reconnaît sa droite et sa gauche. Il différencie le matin du soir et peut nommer les jours de la semaine.

Revenons au cas de Quentin.

Quentin n'a commencé à dire deux mots compréhensibles qu'à 2 ans, il n'en connaissait que cinq à 2 ans et demi. Il utilisa un jargon imitant la tonalité des conversations d'adultes, mais ne comportant pas de mots ayant une signification. Quentin avait entendu que les adultes parlaient, mais il prenait le langage pour un bruit de fond, une sorte de musique... Il n'avait pas compris à l'âge habituel que les mots signifiaient des objets ou des actions.

Bien sûr Quentin s'est mis progressivement à parler ! À 8 ans, il s'exprimait normalement et comprenait le contenu des conversations courantes. Mais il avait un vocabulaire moins riche qu'un enfant ayant parlé tôt ; et lorsque nous l'avons testé, nous nous sommes aperçus qu'il n'avait pas seulement un retard de parole, c'est-à-dire d'expression des mots, mais un véritable retard de langage : il exprimait difficilement sa pensée, même dans son monde intérieur. Il avait des difficultés narratives lorsqu'il s'adressait silencieusement à lui-même. On comprend alors qu'il ait actuellement du mal à écrire un petit texte de composition française et à saisir aussi rapidement que les autres les consignes de la maîtresse.

Le retard de langage :
une situation à risque pour la concentration

Le non-investissement « en profondeur » du langage pénalise la concentration. Qu'il s'agisse de son retard d'apparition, de déformations ou de troubles articulatoires persistants, voire de difficultés de passage au langage écrit (écriture et lecture), le développement du langage chez le très jeune enfant dépend étroitement de la qualité des interactions très précoces (dès la naissance) et de leur tonalité affective : elles représentent la base des acquisitions langagières ultérieures. C'est l'intensité de l'investissement parental du langage et des sentiments qui est prépondérante. Or c'est la même interaction parent-enfant qui favorise les capacités de se concentrer. Si le trouble du langage révèle que le bébé n'a pas bénéficié de ces stimulations, nous pouvons craindre qu'il n'ait pas, non plus, exercé sa concentration. S'en rendre compte permettra de prendre à temps les mesures adéquates.

Quand s'établit un langage à valeur de communication entre l'enfant et ses parents (d'abord gestuel, postural, puis verbal), une véritable spirale positive s'enclenche : les parents se sentent reconnus, compris, ce qui les valorise et les encourage à davantage solliciter leur bébé ; celui-ci se sent également gratifié par ces échanges multipliés et enrichit donc ses possibilités de communication.

Tout bébé envoie des messages (posturaux, visuels, prélangagiers). Les parents sont là pour entendre ces messages, et « s'accorder » avec eux, c'est-à-dire les reprendre sur d'autres modes que l'enfant peut ainsi découvrir peu à peu. Par ailleurs, les parents sont aussi là pour donner du sens à ces messages. Pour investir le langage avec plaisir, l'enfant doit pouvoir procéder par essais/erreurs/corrections. Pour maîtriser le maniement des mots, l'enfant doit aussi se sentir en sécurité vis-à-vis de ses pensées. Il doit en quelque sorte pouvoir être certain que dire est permis. Secrets et tabous familiaux risquent, s'ils sont abordés, de provoquer des réactions négatives, et par conséquent de nuire à la mise en place du langage. Ils pénaliseront ultérieurement la concentration.

Le langage est nécessaire à la pensée : avoir une juste perception du vocabulaire et du sens des conversations facilite la concentration. Pouvoir répondre facilement, participer à la conversation rend aussi celle-ci plus vivante. De la même façon, il est plus facile de se concentrer sur les consignes données par l'enseignant si aucun mot n'est incompréhensible et si la pensée propre à l'enfant est d'expression aisée. À l'inverse, on imagine facilement comme il est gêné pour se concentrer lorsque le vocabulaire et la fluidité manquent pour exprimer sa pensée... Du fait de leur investissement superficiel du langage, les enfants en retard de langage sont rapidement en difficulté à l'école. Leur expression reste pauvre, factuelle, rivée au matériel, au concret, et ne peut s'ouvrir sur des modes de communication ou de description plus abstraits ou émotionnels. Tout le discours se situe dans l'avoir (posséder des objets, des jeux, etc.) et non dans l'être (être triste, gai, ressentir des émotions). Ces enfants n'ont souvent qu'un accès limité à la lecture (qui reste hésitante et peu précise, le sens de ce qui est lu n'étant pas totalement perçu). Il en découle pour eux des problèmes souvent importants lors du passage à l'écrit.

Autant dire qu'il faut être attentif aux enfants en retard de langage. Nous ne devons pas nous dire qu'une fois acquise l'expression de base dans la vie courante, les problèmes seront résolus. Ils risquent fort d'avoir pour les apprentissages ultérieurs, plus de mal à se concentrer que les autres. Notre sensibilisation à leur égard permettra de leur donner les outils pour mieux exprimer leur pensée et comprendre plus facilement celle des autres. Alors, leur concentration s'en trouvera facilitée.

Est-il dyslexique ?

La dyslexie est une cause courante des problèmes de concentration. Malheureusement, elle est souvent dépistée trop tard. Pourtant, la connaissance du fonctionnement cérébral de l'enfant dyslexique permet de comprendre combien ces enfants peuvent avoir du mal à se concentrer.

La dyslexie se définit comme un trouble d'apprentissage de la lecture chez un enfant normalement intelligent. Le dyslexique présente des troubles durables d'apprentissage du langage écrit (lecture, écriture), alors que ses tests d'intelligence, ses capacités sensorielles (audition, vue) et affectives sont normaux.

L'enfant dyslexique ne parvient pas à intégrer les stratégies d'apprentissage de la lecture ou de l'écriture. Il achoppe pour lire les mots et les phrases. Il hésite, il fait des omissions et des inversions de lettres ou de syllabes, des remplacements, ou bien il ânonne en répétant les syllabes et les mots.

La lecture est donc difficile à acquérir pour le dyslexique, et lorsqu'elle est acquise, l'enfant déchiffre plus qu'il ne lit, c'est-à-dire qu'il lit le mot, le prononce, sans se le représenter intellectuellement. Aussi peine-t-il à suivre le développement du récit : lorsqu'on l'interroge sur ce qu'il vient de lire, il peut raconter de petits détails faciles séparés du tout. Il s'est fixé sur ces détails, mais n'a pas compris l'ensemble du récit. Il se trouve donc dans l'impossibilité de voir et de dégager l'idée centrale.

Chez la plupart des enfants, le trouble porte d'abord sur le langage oral, un retard de la parole annonçant souvent l'apparition ultérieure d'une dyslexie. En effet, plusieurs études (en France, Angleterre, Nouvelle-Zélande) ont mis en évidence la corrélation entre un retard de langage chez le jeune enfant de 3 ans et des difficultés scolaires ultérieures lors des apprentissages de la lecture et de l'écriture.

Comment reconnaître si le trouble de concentration est lié à une dyslexie ?

En classe de CP ou CE1, tout enfant en phase d'apprentissage de la lecture et de l'écriture fait des fautes qui, au début, sont inévitables. Le problème réside dans la persistance de ces erreurs.

Certains signes doivent attirer l'attention :

– des inversions répétées de lettres ou de syllabes. L'enfant peut inverser l'ordre des lettres. À la place de bras, il dira bars, à la place de la, il peut dire al. Il oublie certaines lettres. Au lieu de lire fil, il va lire il ; ou alors il en ajoute d'autres : au lieu de lire escapade, il lit cascapade. Les lettres de formes voisines ou proches phonétiquement sont particulièrement confondues, par exemple le m, le l et le u. Ou le p, le b, le d et le q. Ou le a et an, etc. Dans ces conditions, le mot piton devient bidon, hippopotame devient hipopapame.

– un décalage dans la compréhension du texte : l'enfant comprend ce qu'il arrive à lire à voix haute ;

– un mauvais repérage de notions de temps et d'espace ;

– des difficultés de mémoire immédiate ;

– la persistance des fautes lors d'un exercice de recopiage ;

– la difficulté à lire de façon compréhensive.

Le dyslexique fait donc de nombreuses erreurs au cours de sa lecture.

Il déchiffre lentement, met plus de temps qu'un enfant de son âge pour lire un texte et n'en comprend pas bien le sens.

Le petit Gaspard se trouve dans ce cas, car il a peiné pour apprendre à lire, sans plaisir. Chaque page de lecture était accompagnée de pleurs et de gronderies de ses parents tant son attention s'envolait et cherchait à se dérober. C'est à l'âge de 8 ans, en fin de CE1, que les difficultés de Gaspard se sont imposées à ses parents : l'institutrice s'est plainte des troubles de concentration de l'enfant, a invoqué un retard de maturité et a demandé un redoublement. Un bilan orthophonique a alors révélé qu'il ne s'agissait pas de troubles de la maturité, mais d'une réelle dyslexie. Or, comme nous allons le voir, la dyslexie peut aujourd'hui être dépistée dès la première année de maternelle, entre 3 et 4 ans. Il est dommage de l'avoir pointée chez Gaspard aussi tardivement : son retard de langage aurait déjà dû sensibiliser à dépister précisément des difficultés de type dyslexique.

Les garçons sont plus souvent dyslexiques que les filles

Dans tous les pays du monde, on considère aujourd'hui que 8 à 10 p. 100 des enfants normalement scolarisés, soit deux ou trois élèves par classe, présentent de réelles difficultés scolaires liées à la dyslexie. On relève une disproportion significative entre les sexes car les garçons en sont atteints trois à quatre fois plus souvent que les filles. Les caractéristiques sexuelles de la différenciation cérébrale prénatale ont fait l'objet de beaucoup d'attention ces dernières années. Des anomalies « mineures » du cortex cérébral d'origine prénatale ont été décrites dans certaines dyslexies survenant chez le garçon (voir p. 94).

Le dysfonctionnement des circuits spécifiques qui résulte de ces erreurs perturbe la réception, l'intégration et le traitement des « informations linguistiques » et provoque des troubles de la lecture et de la compréhension, mais aussi des troubles des fonctions permettant l'acquisition et l'utilisation du langage, comme la mémoire, les capacités logiques. L'ensemble de ces troubles perturbe la concentration, tant il est vrai que le langage humain mobilise de multiples fonctions du système nerveux central.

Quelles sont les causes de la dyslexie ?

La dyslexie est un phénomène complexe, prenant des formes diverses, car la lecture fait appel à plusieurs mécanismes neuro-psychologiques.

Actuellement, la plupart des chercheurs s'accordent pour considérer que la dyslexie est un phénomène biologique lié à un état constitutionnel du système nerveux. On peut distinguer :

– des facteurs pathologiques : prématurité, retard de croissance intra-utérin, souffrance néonatale ;

– des anomalies génétiques et hormonales altérant l'équilibre des compétences et la répartition des fonctions dominantes de chaque hémisphère cérébral. Ainsi ces enfants sont plus souvent que la moyenne gauchers ou ambidextres. Ils ont des problèmes de latéralisation. Les chromosomes 1, 6 et 15 ont récemment été identifiés comme porteurs de gènes intervenant dans la dyslexie. Dans plus d'un cas sur deux, l'enfant dyslexique a un ou plusieurs parents proches atteints de dyslexie.

Certains facteurs extérieurs à l'enfant ont longtemps été invoqués à tort comme causes de dyslexie :

– Les facteurs socioculturels : la dyslexie existe dans tous les milieux et dans toutes les ethnies. Toutefois, les enfants de milieux défavorisés, bénéficiant moins souvent du dépistage et des traitements, peuvent accumuler les facteurs d'inadaptation, parfois cause d'illettrisme.

– Les troubles affectifs : la dyslexie n'est pas due à un « blocage » affectif, ni à un trouble psychiatrique primaire, mais à une incapacité d'apprentissage dans les conditions de pédagogie collective.

– L'ensemble des méthodes courantes restent inaccessibles au dyslexique, qui possède ses propres stratégies d'apprentissage. Le dyslexique, dont le handicap est préexistant, nécessite un programme individualisé spécifique.

La dyslexie peut induire des effets secondaires sur le plan psychologique. Un bébé ayant congénitalement un retard de maturation de ses connexions entre les différentes zones du langage fera moins appel à la personne qui s'en occupe et qui s'adresse à lui car il sera plus lent

70

à répondre et interagir. Si la personne n'est pas particulièrement attentionnée ou patiente, ni particulièrement soutenue et encouragée, elle peut se montrer peu encline à communiquer; en retour le bébé puis l'enfant sera moins stimulé, les connexions à l'intérieur du cerveau se développeront moins. Ainsi s'enclenche un cercle vicieux qui isole plus ou moins l'enfant de sa communication avec l'extérieur, donc du langage, puis de la lecture, puis de la facilité à écrire et à se concentrer.

Comment travaille le cerveau de l'enfant dyslexique ?

Depuis une vingtaine d'années, le cerveau des dyslexiques a été étudié de manière de plus en plus précise, et les conclusions, surtout fondées sur les travaux d'Albert Galaburda deviennent solides : des anomalies peuvent affecter le traitement des informations dans l'hémisphère gauche. Ainsi a-t-on observé des anomalies d'activation du cortex cérébral dans ces zones du cerveau impliquées dans le langage. Lorsqu'il lit, l'enfant normal fait travailler essentiellement son cerveau gauche, alors que le dyslexique n'a pas cette dominance de l'hémisphère gauche du cerveau. Les deux hémisphères travaillent à égalité, voir p. 92.

L'intérêt de ces découvertes est de montrer que si le dyslexique a tant de mal à se concentrer, c'est parce qu'il n'utilise pas son cerveau comme l'enfant normal. Il faudra donc employer le plus tôt possible des méthodes lui permettant de modifier son efficience au niveau des neurones. Ces méthodes existent, nous verrons plus loin.

Ces anomalies observées chez les sujets dyslexiques pourraient être la conséquence d'un défaut de développement des connexions qui relient les régions du cortex cérébral impliquées dans le traitement du langage. Pourquoi cela se produit-il ? Est-ce un défaut congénital, voire héréditaire, comme le suggèrent certaines études familiales ? Ou est-ce un défaut de stimulation langagière de l'environnement comme le suggère l'observation de la relation entre la personne maternante et le bébé ? Le débat n'est pas clos.

Le retentissement de la dyslexie sur la vie de l'enfant et de sa famille

Le dyslexique souffre. Il a une lecture lente, hésitante, irrégulière, ne respecte pas la ponctuation, a une intonation monotone. Il ne semble pas comprendre ce qu'il lit, est incapable de l'expliquer. Si la dyslexie n'est pas traitée à temps, elle sera suivie d'une dysorthographie. L'enfant n'analyse pas les données d'une dictée, au plan auditif, et lorsqu'il écrit la phrase qu'il a enfin entendue correctement, il ne distingue pas les différentes fonctions des mots. Aussi en fait-il un mauvais découpage et se montre-t-il incapable d'appliquer les règles de grammaire. Lorsque la dyslexie et la dysorthographie ne sont pas traitées à temps, le handicap scolaire est important et l'enfant est, bien sûr, incapable de se concentrer sur un texte. Si la dyslexie n'est pas dépistée et rééduquée précocement, l'enfant aura de lourdes difficultés scolaires. Les gronderies, les exhortations à se concentrer et les cours de soutien complémentaires ne serviront à rien.

La dyslexie pose un réel problème d'intégration scolaire. L'enfant atteint de ce trouble a des performances largement inférieures à ce qui est normal pour son âge et son intelligence. Elles le font accuser de paresse, de désintérêt ou d'immaturité. Ses difficultés de concentration lui sont reprochées sans que les injonctions : « mais concentre-toi ! » soient d'une quelconque efficacité.

Il en résulte une véritable souffrance morale, qui génère anxiété, manque de confiance en soi, peur des notes, accompagnés parfois de troubles du sommeil...

L'enfant s'attribue la responsabilité de ses échecs et généralise son impuissance à surmonter ses difficultés scolaires à toutes les autres expériences de la vie. Cette dévalorisation de soi peut aller jusqu'à une démission sur le plan relationnel et scolaire, et conduire à une certaine rupture sociale, préjudiciable à son insertion future.

L'impact est également important sur la famille qui se sent trop souvent coupable et responsable de ces difficultés et ne sait comment aider l'enfant.

À quel âge pouvez-vous savoir si votre enfant est dyslexique ?

En France, ces troubles d'apprentissage liés à la dyslexie sont aujourd'hui encore mal connus des parents et des professionnels de l'éducation et de la santé. Leur découverte est généralement trop tardive, ce qui limite l'efficacité de la rééducation. C'est ainsi que très souvent la dyslexie n'est soupçonnée qu'à l'école primaire, lorsque l'instituteur ou les parents s'aperçoivent que l'enfant a du mal à apprendre à lire.

Il est pourtant absolument indispensable de dépister ces troubles le plus précocement possible avant qu'ils ne soient à l'origine d'échec scolaire. « Cela est aisément réalisable et devrait l'être systématiquement dès 3 ans, explique le docteur Messerschmitt, pédopsychiatre à l'hôpital Trousseau à Paris, car la corrélation est désormais prouvée entre un retard de langage chez le jeune enfant et les difficultés, par la suite, lors de l'apprentissage de la lecture. » Ainsi, c'est dès la maternelle que certains faits doivent mettre la puce à l'oreille : un langage moins bien « organisé » que celui des petits camarades, une confusion des sons, une inversion des syllabes, un mauvais repérage dans le temps et l'espace, des difficultés de concentration doivent conduire à tester l'enfant.

73

Des méthodes simples de dépistage (la cassette « Des caramels pour Arthur ») sont aujourd'hui disponibles, dès 3 ou 4 ans, pour les professionnels de la petite enfance. L'utilisation de ces outils devrait être la plus large possible, voire systématique, dès la maternelle. C'est avant les apprentissages de la lecture et de l'écriture, en cours préparatoire, que l'enfant doit pouvoir bénéficier d'une rééducation appropriée, afin de lui donner tous les atouts indispensables avant l'entrée à la « grande école ».

Ces tests ne constituent cependant que la première étape du dépistage. Ils devront être suivis, si on soupçonne une dyslexie à partir de 6 ans, d'un bilan complet :

– L'examen orthophonique du langage – réalisé par un orthophoniste – permet de mettre en évidence les qualités du langage oral – expression et compréhension – et de déceler les retards ou difficultés de prononciation. Il s'effectue au moyen de tests qui explorent la compréhension et l'expression du langage en situation spontanée ou dirigée. Des tests de lecture permettent d'évaluer précisément la vitesse du déchiffrage, le nombre et le type d'erreurs, les capacités de compréhension du texte lu. Suite à ce bilan, il est possible de mettre en place une rééducation orthophonique individuelle ou en groupe, selon l'âge et la personnalité de l'enfant.

– L'examen clinique réalisé par le pédiatre évalue :

a) les étapes du développement de l'enfant (niveau de langage, compétences intellectuelles, socialisation) ;

b) ses antécédents personnels, notamment de la période pré ou postnatale ;

c) les antécédents familiaux de troubles similaires ;

d) son cursus scolaire ;

e) son contact relationnel global, sa capacité d'échanges, sa stabilité psychomotrice et sa capacité d'attention-concentration, sa conscience des difficultés, son sommeil, son appétit ;

74

f) son environnement familial, éducatif, psycho-affectif, culturel...

Une pédagogie adaptée au dyslexique

On peut alors appliquer une pédagogie spécifique avec une orthophoniste pour rééduquer les mécanismes mentaux et empêcher l'échec. Plus tôt cette rééducation sera entreprise et plus les erreurs de lecture diminueront pour disparaître. Si la rééducation est entreprise tardivement, malgré l'intelligence normale de l'enfant, celui-ci s'enferme dans une situation d'échec scolaire avec une impossibilité de se concentrer. Le pronostic est alors redoutable.

Est-il « nerveux » ?

Ce que les parents appellent communément de la nervosité correspond parfois à un trouble précis : l' « hyper-activité », ou plus précisément les « troubles hyper-kinétiques avec déficit de l'attention » (THADA). C'est le mal dont souffrent des petits enfants hyperactifs et déconcentrés.

Damien est réputé ne pas tenir en place. À 8 ans, c'est un de ces enfants que l'on réprimande souvent parce que, lors du repas, il n'écoute pas la conversation mais fait du bruit avec tout ce qu'il trouve : le porte-couteau, le couteau, la salière, l'ouvre-bouteille. Il se lève facilement de table et prend n'importe quel prétexte pour s'absenter du repas dès qu'il est rassasié, alors que d'autres enfants du même âge, me fait remarquer sa mère, restent à table, écoutent et participent à la conversation des adultes pour peu qu'elle ne soit pas trop éloignée de leurs centres d'intérêt. De toute évidence, l'attention de Damien est beaucoup plus difficile à fixer.

Je demande à sa maman de me raconter comment cela se passait lorsqu'il était plus petit : elle m'explique qu'il avait tendance à courir, qu'il ne marchait jamais tranquillement dans la maison. Il fallait toujours qu'on lui dise : « Damien, ne cours pas ! Tu fais du bruit. Tu te cognes et tu tombes ! » Mais la famille se rassurait : « C'est normal, c'est un garçon. » À l'entrée à l'école maternelle, Damien a tout de suite choisi les groupes d'enfants bagarreurs et a toujours été le premier à quitter la classe, en renversant sa chaise pour se précipiter plus vite dans la cour de récréation. La maîtresse s'est vite plainte de son manque de concentration, mais les parents ont pensé que c'était habituel chez un petit garçon qu'on trouvait finalement plutôt très vif. Sa maman se rappelle aussi qu'avant l'âge de 1 an, dès ses premières semaines, Damien a eu des coliques avec des pleurs difficiles à consoler pendant la journée, et le bébé fut long à faire ses nuits. Dès l'âge de 9 mois et jusqu'à l'âge de 3 ans, il a réveillé ses parents plusieurs fois par nuit. Le moindre petit bruit le faisait sursauter pendant son sommeil. On l'appelait « Damien la tempête », car il claquait les portes, faisait du bruit, trépignait et hurlait dès qu'on le contrariait. Sa mère avait du mal à le faire rester assis pour regarder des images et il n'aimait pas les puzzles. Ce comportement a valu à Damien plus de gronderies que n'en subit un enfant normal, on l'a beaucoup rabroué et sa mère dit qu'il a toujours été difficile à supporter, même si elle s'est particulièrement attendrie sur ce petit dernier.

Mais c'est surtout en cette fin de CE2 que l'institutrice a tiré la sonnette d'alarme sur les difficultés de concentration de Damien. Il gigote tout le temps sur sa chaise et ne peut pas se concentrer sur son activité scolaire, car le moindre bruit le distrait immédiatement. Il fait ses exercices de façon distraite, plus vite que ses camarades ;

finalement Damien fait plus de fautes, et n'aime pas se relire pour vérifier.

Selon sa maman, Damien n'arrive pas à faire ses devoirs à la maison, il s'enfuit pour regarder la télévision ou jouer sur sa console vidéo. Lorsque enfin il se concentre sur un exercice, il se met facilement en colère parce qu'il n'y arrive pas et, si l'on insiste, il fond en larmes. Je constate que Damien semble un peu déprimé.

L'hyperactivité est-elle un syndrome fréquent ?

Les garçons sont quatre fois plus touchés que les filles et, selon les spécialistes, on estime qu'un écolier sur dix est atteint de ce syndrome de « nervosité » appelé hyper-activité. Si les premières manifestations des THADA se situent en moyenne vers 3 ans, les enfants sont en général âgés de 9 ans lors de leur première consultation.

Le portrait type de l'enfant hyperactif

Ce sont des enfants irritables, impulsifs, qui – tout petits – bougent sans cesse, jettent les objets. Ils grimpent partout, tombent sans arrêt et sont plus souvent victimes d'intoxications ou de blessures domestiques. Ils sont très bruyants et réputés dans la famille pour être agi-tés à tel point que les tantes ou grand-mères refusent souvent de les garder. Les enfants hyperactifs ont une mauvaise coordination des mouvements. Ils ont souvent du mal à reconnaître leur droite de leur gauche. Ils apprennent plus tard que les autres à lacer leurs chaus-sures et à boutonner leurs vêtements.

Mais vous vous dites peut-être qu'il y a beaucoup de garçons turbulents et bruyants... De là à dire qu'ils sont tous hyperactifs...

Comment savoir
si votre enfant est hyperactif?

• L'hyperactivité se définit par au moins deux des critères suivants :
– il a du mal à rester tranquille ou s'agite trop ;
– il a du mal à rester assis quand on le lui demande, à jouer en silence ; toujours sur la brèche, il se lance dans des activités physiques dangereuses sans mesurer les risques.

• Les troubles de l'attention qui s'y associent se définissent par au moins trois des critères suivants :
– votre enfant a des difficultés pour se concentrer sur le travail scolaire ou sur ses jeux ;
– il est facilement distrait par les stimuli extérieurs ;
– il paraît souvent ne pas écouter ;
– il perd facilement ses objets de travail ou d'activité personnelle ;
– il a du mal à terminer ce qu'il a entrepris.

• L'impulsivité est la troisième composante du syndrome d'hyperactivité de l'enfant. Elle demande aussi trois critères au minimum parmi les suivants :
– votre enfant a du mal à attendre son tour dans les activités de groupe ;
– il se précipite pour répondre aux questions ;
– il interrompt souvent autrui ;
– il passe souvent d'une activité à l'autre ;
– il a du mal à organiser son travail ;
– il a du mal à se conformer aux directives d'autrui.

On parle d'enfant hyperactif si ces symptômes apparaissent avant l'âge de 7 ans et durent pendant une période d'au moins six mois.

Le retentissement de l'hyperactivité sur la concentration

À l'école, les difficultés de concentration de l'enfant hyperactif ont un retentissement sur l'apprentissage dans toutes les matières, aussi bien la lecture, l'écriture que l'arithmétique. Mal accepté par ses camarades, l'enfant hyperactif a tendance à être laissé de côté car il a mauvais caractère et se met trop facilement en colère. Mais ses échecs et son état dépressif entraînent des pleurs faciles, inexpliqués, et une grande irritabilité. L'enfant hyperactif peut être tenté de se revaloriser autrement que par la réussite scolaire : en commettant de petits larcins et autres bêtises qui le feront encore plus rabrouer et le rendront encore plus irritable.

Les troubles scolaires sont l'une des raisons les plus fréquentes de consultation, et jouent un rôle de révélateurs de l'hyperactivité. Un retard scolaire est présent chez 71 p. 100 des enfants hyperactifs de plus de 10 ans, alors qu'on ne note un tel retard scolaire que chez 22 p. 100 d'entre eux avant 8 ans. C'est dire que le retard scolaire a tendance à s'aggraver entre 8 et 10 ans. Il est donc très important d'élaborer une stratégie éducative contre tous les facteurs favorisant la baisse de l'attention.

Pourquoi certains enfants sont-ils hyperactifs ?

On explique aujourd'hui l'hyperactivité par un retard dans la maturation cérébrale dû à un ou plusieurs facteurs nocifs : le tabagisme maternel, des conditions socio-économiques défavorables et des facteurs propres à l'enfant : sont plus sujets à l'hyperactivité, par exemple, les grands prématurés, les enfants de très petit poids de naissance, les enfants ayant des troubles d'audition ou des troubles visuels importants et certains enfants atteints d'hypoglycémie. Actuellement, on s'intéresse beaucoup à une insuffisance possible du métabolisme de certains neuromédiateurs comme les catécholamines. Cette hypothèse très intéressante a permis de mettre au point des traitements médicamenteux, mais ceux-ci ne constituent cependant pas la solution de tous les problèmes comme nous allons le voir plus loin.

Pour ma part, j'ai constaté que les erreurs éducatives précoces influent sur un terrain hyperactif sans doute congénital. J'entends par là qu'avec un bébé un peu nerveux au départ, l'irritabilité en miroir des parents, leur mode de vie agité, l'absence de consignes et de règles de vie précises dans le quotidien, l'absence de dialogue et de direction de l'enfant vers des centres d'intérêt positifs aggravent une hyperactivité constitutionnelle.

Comment évolue spontanément l'hyperactivité de l'enfant ?

En l'absence de traitement, le trouble persiste à l'âge adulte dans un tiers des cas. Il a alors gêné les apprentissages scolaires et donc le niveau de réussite de la personne.

Dans un autre tiers des cas, l'hyperactivité disparaît au moment de la puberté. Vers 13-14 ans, ces enfants deviennent calmes. J'ai même remarqué personnellement qu'après avoir été hyperactifs, ils deviennent hypercalmes, très « mous ». Les parents se plaignent qu'ils n'ont d'intérêt pour rien, surtout pas, bien sûr, pour l'école et se replient sur eux-mêmes. Ils ont souvent des idées noires et aiment les jeux de rôles et les jeux vidéo agressifs. Cette évolution est préoccupante car, les difficultés de concentration persistant, elle va gêner ensuite ces enfants non seulement dans leur réussite scolaire mais aussi dans leur intégration sociale.

Dans le tiers des cas restant, l'évolution est favorable. Dès l'âge de 8 ans, l'enfant se concentre de mieux en mieux et franchit le cap sans retard.

Pour donner toutes ses chances à votre enfant

Comme je vous l'ai suggéré pour les troubles de concentration en général, le mieux est de faire un bilan très complet, testant à la fois :
- l'intelligence,
- la mémoire,
- le langage,
- la motricité,
- l'affectivité et les émotions,
- la fonction auditive,
- le niveau scolaire.

Ce bilan global permettra de mieux cerner les difficultés de l'enfant. S'il est dépisté précocement, avec un environnement adapté à ses troubles, et parfois un traitement médicamenteux, votre petit hyperactif a toutes les chances d'acquérir d'excellentes capacités de concentration et de s'épanouir à l'école.

Le traitement de l'enfant hyperactif : rééducation ou Ritaline ?

Il existe un traitement de l'enfant hyperactif permettant d'améliorer ses capacités de concentration. Plus tôt le traitement est entrepris et plus la situation est réversible.

– D'abord, les méthodes appliquées pour tous les troubles de concentration : prise en charge éducative, stratégies d'enseignement adaptées, psychothérapie.

– C'est aussi, aux États-Unis surtout, l'utilisation de médicaments psychostimulants dont le plus courant est le Méthylphénidate (la fameuse Ritaline : 1 à 5 p. 100 des enfants américains d'âge scolaire sont traités par cette famille de médicaments. Les statistiques montrent que ces médicaments améliorent la concentration des enfants hyperactifs dans 70 p. 100 des cas. Nous en reparlerons plus loin.

Est-il agressif ?

Bastien adore se battre : plusieurs fois déjà sa mère me l'a amené marqué de coquards. Dès l'âge de la crèche, il revenait avec des morsures ; mais sa maman reconnaissait que c'était « un petit dur », toujours prêt à bousculer les autres. Elle le disait avec une certaine fierté : « Notre monde est si violent aujourd'hui, n'est-ce pas une bonne chose qu'il sache se défendre ? »

Actuellement, Bastien est en CP. Il a un trouble de concentration manifeste : sa maman ne parvient pas à le faire se tenir tranquille pendant qu'il lit sa page du soir. Il balance les jambes, rigole avec son frère aîné, son attention s'envole. Au début de l'année, les parents ont pensé que c'était normal. Mais, maintenant, la maman se rend compte que son inattention empêche Bastien d'apprendre les sons un peu complexes. Elle a rencontré son instituteur, dans l'espoir d'être rassurée. Mais celui-ci lui a dit que Bastien ne tenait pas en place : le petit s'est placé dans un groupe de « bagarreurs ». À la récréation, ils foncent dans la cour et ne pensent qu'à tester leur force physique ; de retour en classe, des comptes restent à régler, les coups de pied et les boulettes de papier perturbent l'attention de tous les enfants. Le maître a séparé le groupe, mais Bastien passe son temps le dos tourné pour provoquer les copains plus éloignés. « C'est un enfant très tonique, qui a besoin de se dépenser »,

82

explique la maman. Et l'instituteur de répondre : « Ce n'est pas ainsi qu'il apprendra à lire ! Il faut qu'il se concentre. » Mais les punitions et la morale n'y font rien.

Pourquoi le petit « bagarreur » est généralement un déconcentré...

J'ai souvent remarqué combien les enfants agressifs étaient perturbés dans leur concentration. Il y a plusieurs liens entre les deux :

– lorsque l'énergie est dépensée physiquement, l'attention est perturbée par les mouvements ;

– mais surtout, c'est parce que l'enfant n'est pas habitué à se concentrer sur le langage – parlé ou écrit – qu'il a des centres d'intérêt plus physiques ;

– avec le temps, il prend un retard dans sa capacité de capter les informations données par les adultes, ses parents ou le maître d'école ;

– comprenant mal ce qui est dit, il perd l'habitude d'écouter et préfère libérer son énergie avec son corps.

Il faut bien connaître ce cercle vicieux : il permet de comprendre que c'est en habituant l'enfant à communiquer avec l'adulte qu'il se concentrera sur la parole et abandonnera son excès de turbulence physique. Ce n'est donc pas, comme le croient si souvent les parents, en faisant pratiquer du sport intensivement que vous allez « le défouler », le calmer et lui permettre une meilleure concentration. Au contraire, plus un enfant est excité physiquement, plus vous devez l'initier à des jeux calmes : les échecs, les histoires, le coloriage, les découpages, la peinture...

Quant à l'idée, de plus en plus répandue, selon laquelle il faut savoir se battre, elle ne peut que générer la violence autour de votre enfant. Les bagarreurs cherchent les bagarreurs, ils s'attirent. Et quel est l'intérêt de savoir se défendre avec les poings ? Dans notre société, ce ne sont pas les plus forts physiquement qui gouvernent : le leadership se conquiert par la pensée et le don de la communiquer aux autres. C'est ce qu'il faut expliquer aux petits. Le plus « fort », c'est celui qui sait retenir ses mains et se faire des amis intelligents...

Est-il déprimé ?

Valentine a 9 ans. Elle est en CE2. Elle vient me consulter à la demande de sa maîtresse. Ses résultats scolaires sont médiocres. Elle est terriblement lente, me dit sa mère, et a bien du mal à se concentrer sur son travail. Aussi les devoirs du soir se passent dans un climat d'exaspération de la maman, et de fermeture au travail de la part de l'enfant. Mais la maman n'a pas tout de suite pensé à consulter un pédiatre ; elle croyait tout simplement que Valentine était moins intelligente que sa deuxième fille qui réussit bien mieux à l'école et comprend beaucoup plus vite. Un jour, Valentine a déposé un billet sur le bureau de sa maîtresse dans lequel elle lui dit que son papa voulait l'épouser ! L'institutrice, étonnée, prévient la mère et lui conseille de consulter son pédiatre. La maman trouve effectivement très étrange l'attitude de sa fille et me fait part d'un comportement avec tendance à l'affabulation et pleurs faciles depuis quelques mois. Au fur et à mesure des entretiens, il apparaît clairement que Valentine ne supporte pas son beau-père. Ses parents sont séparés, elle rêve d'aller vivre chez son papa. « Mais, tranche la maman, tu sais bien que ton père n'est pas capable d'assumer le rythme de vie et le soutien nécessaires à ta scolarité ! » Nous arriverons rapidement à mettre en évidence l'idée qui a germé dans l'esprit de Valentine : si son père se mariait avec son institutrice, alors elle pourrait aller vivre avec lui. C'est tout simple !

Lors des premiers entretiens, Valentine a l'air triste et pleure facilement ; elle craint sa mère et je dois travailler pour la mettre en confiance, l'encourager à s'exprimer avec moi et à verbaliser ses besoins auprès de sa maman. Pour cela, il me faut en même temps apaiser la mère, car elle prend des expressions très grondeuses quand sa fille lui révèle son état de malaise. Lorsque la chape de plomb qui pèse sur leurs rapports se lève, l'état dépressif de Valentine devient évident. Après plusieurs entretiens, nous arriverons, en rétablissant la communication, à transformer cet état dépressif en un état revendicateur et agressif. Je me rends compte que cela est difficile à supporter pour la maman. Je parviens à la convaincre de compléter nos entretiens par un suivi psychothérapeutique. En quelques mois, dès lors qu'elle se donne le droit d'exprimer ses besoins affectifs, Valentine s'est montrée de plus en plus vive, effectuant son travail de plus en plus rapidement avec une excellente concentration. Le sourire est revenu sur son visage, elle est étonnée elle-même de ses performances.

Cette histoire montre combien les soucis affectifs et l'état de dépression peuvent altérer les résultats scolaires et en particulier la capacité de concentration.

Un enfant peut-il faire une vraie dépression ?

Contrairement à ce que l'on croit, la dépression est fréquente chez l'enfant, mais elle n'est pas toujours facile à reconnaître. Le déficit de concentration est l'un des signes les plus révélateurs. Si votre enfant se concentre mal, il faut penser dépression lorsque plusieurs des signes suivants sont associés :

– La difficulté à se concentrer s'accompagne d'une sorte d'indifférence à l'entourage.

– L'enfant se dit fatigué, parle moins.

– Il paraît triste et en retrait.

- Il dit volontiers de lui-même qu'il est « nul » et qu'il n'aime pas le travail.
- Il n'aime pas jouer non plus.
- Il a l'impression que ses camarades ne l'aiment pas.
- Il est tout à fait inhibé intellectuellement.
- Ses troubles de l'attention, ses difficultés de concentration s'associent à une imagination pauvre et à des troubles de la mémoire.
- Il pleure souvent.
- Il a du mal à s'endormir et se réveille fréquemment, agité de cauchemars et même de terreurs nocturnes.

Mais la dépression peut être plus difficile à reconnaître, lorsqu'elle ne s'exprime que par des maux de tête, des maux de ventre, une importante baisse d'appétit ou au contraire une boulimie.

Les tentatives de suicide sont rares chez l'enfant mais existent et peuvent être déclenchées par une contrariété apparemment banale, une dispute avec l'un des parents, avec un enseignant, une note scolaire qu'on ne veut pas avouer. Même si ces tentatives de suicide ne vous paraissent pas sérieuses, elles sont à prendre en compte car elles représentent le signal du désespoir de l'enfant qui croit ne plus être aimé. Les idées morbides peuvent être marquées par un goût exagéré du risque. La répétition des accidents doit vous interpeller : est-il vraiment en bon équilibre psychique ?

Lorsque les troubles de concentration surviennent chez un enfant déprimé, c'est le traitement de la dépression infantile qui importe. Il comporte un suivi psychologique de l'enfant et de ses parents, parfois associé à un traitement par des antidépresseurs : il ne faut pas avoir peur du coup de pouce que donne le traitement médicamenteux ; il permet à l'enfant de mieux participer à sa psychothérapie et donc de mieux guérir. La coopération des parents et leur confiance dans le thérapeute sont absolument indispensables.

4

COMMENT LE CERVEAU
PERMET-IL DE SE CONCENTRER ?

L'organisation du cerveau est unique et « personnelle » à chaque enfant : elle est le résultat des interactions constantes qui existent depuis sa conception, entre son héritage génétique et les stimulations de son environnement. Nous allons voir que tout n'est pas joué dès la naissance. C'est ce qui rend votre rôle de parent si noble et si passionnant.

Neurologues, neurobiologistes, neuropsychologues, neurophysiologistes, pédopsychiatres, experts en sciences cognitives se penchent aujourd'hui sur le fonctionnement du cerveau. Comme le dit Jean-Pierre Changeux, « comprendre le fonctionnement du système nerveux revient à un problème de communication entre les cellules nerveuses. Les câbles de ce " téléphone intérieur " sont les fibres nerveuses, axones et dendrites qui relient point d'émission et point de réception ». Mais la métaphore cerveau-ordinateur a ses limites : c'est « la faculté d'auto-organisation qui constitue un des traits les plus saillants de la machine cérébrale humaine, dont le produit suprême est la pensée ».

Les secrets du fonctionnement du cerveau sont chaque jour un peu plus révélés grâce aux techniques d'imagerie cérébrale et d'enregistrement de son activité électrique.

Nous pouvons maintenant observer certains phénomènes qui se produisent au niveau du cerveau pendant que l'enfant pense. Depuis vingt ans, des progrès sensationnels ont été réalisés en neurologie du développement. Nous connaissons de mieux en mieux la construction du système nerveux, notamment la migration et la mise en place des neurones. L'imagerie cérébrale a aussi permis de mieux comprendre les particularités du fonctionnement de certains enfants, surtout les enfants dyslexiques et les enfants autistes. Aujourd'hui, nous commençons à appréhender ce qui se passe dans notre cerveau lorsque nous nous concentrons.

Mais le fait que des phénomènes observables se produisent au niveau de la substance cérébrale ne réduit pas les troubles de la concentration à une question organique. Les deux approches, psychologique autant qu'organique, sont complémentaires ; et l'impact psychologique sur la genèse des dysfonctionnements cérébraux est chaque jour mieux établi. Ainsi, l'imagerie montre comment l'action de l'environnement sur le cerveau du fœtus, puis du bébé, puis de l'enfant, façonne le développement cérébral. À l'inverse, certains enfants ont congénitalement un fonctionnement particulier de leur cortex cérébral, visualisable par l'imagerie médicale, et cette particularité congénitale conditionne les réactions de leur environnement. Comme le dit Boris Cyrulnik, « il y a 100 p. 100 d'inné et 100 p. 100 d'acquis » ! L'un interagit avec l'autre...

Aujourd'hui, nous pouvons voir le cerveau travailler

Les variations de l'attention se traduisent par des indices mesurables : au niveau physiologique, ce sont les données de l'électroencéphalogramme, la fréquence cardiaque. Au plan comportemental, ce sont les performances de l'enfant, c'est-à-dire son temps de réaction aux épreuves de vigilance.

En ce qui concerne l'électroencéphalogramme, deux étapes de veille, donc de vigilance, ont été identifiées grâce au tracé des ondes cérébrales qui leur correspondent : l'état de veille diffuse ou repos sensoriel ; l'état de veille active, ou attentive, caractérisée par une autre forme de tracés.

On peut ainsi voir comment :

– un degré d'activation trop élevé supprime le comportement attentif qui est débordé par un comportement émotionnel ;

– un degré d'activation trop faible entraîne une somnolence et ne permet pas un comportement attentif efficace.

Ainsi la concentration dépend-elle de la vigilance, car elle ne peut se mobiliser que si un certain degré d'activation cérébrale existe.

Lorsque vous dites que votre enfant est attentif, cela veut dire que vous notez, d'après son comportement, son niveau d'activité cérébrale : il est en éveil cortical. Cet éveil est provoqué par l'activation d'une formation particulière du cerveau que l'on appelle la formation réticulée. Elle s'active sous l'afflux des stimulations externes. Lorsque l'enfant est inattentif, à l'inverse, son cerveau inhibe la formation réticulée ; cette non-activation de la formation réticulée et l'inattention qui en découle entraînent une hyperexcitation continuelle : l'énergie se décharge de façon incohérente. Voilà pourquoi les enfants inattentifs sont si souvent agités.

Les immenses progrès
de l'imagerie cérébrale

Ils nous permettent d'évaluer de plus en plus fine-
ment la maturation cérébrale au cours du développement de l'enfant : avec le scanner, l'imagerie en
résonance magnétique (IRM), nous entrons dans l'ère
de l'homme transparent. Concernant le mystère de la
concentration, c'est surtout la tomographie par émission
de positrons (TEP) qui révèle en direct l'activation des
différentes zones cérébrales pendant les tâches mentales. Au cours de la dernière décennie est ainsi apparue
la possibilité de voir zone par zone le cerveau en fonctionnement. Grâce à l'injection d'un produit radioactif
inoffensif, on obtient des images visualisant la consommation d'énergie et le débit sanguin dans diverses
régions du cerveau. Ainsi peut-on savoir quelle zone du
cerveau l'enfant est en train d'activer au moment où
l'on prend les images scanographiques. L'un des
apports les plus importants de l'imagerie est de permettre d'étudier sans traumatisme les différentes étapes
du développement cérébral in utero, puis après la naissance. On peut mesurer, filmer et photographier l'augmentation de l'activité des neurones dans une région du
cerveau.

Par exemple, lorsque vous parlez à votre enfant,
ses neurones consomment plus d'énergie au niveau
des points de contact appelés « synapses » qui les
lient les uns aux autres ; on peut prendre des images
lorsque l'enfant est au repos, en état de simple éveil,
ou lorsque son cerveau est activé, par exemple quand
il fait un dessin, regarde une image ou lit un texte.
On peut ainsi repérer des zones du cerveau qui sont
activées lors d'un mouvement de la main, de l'écoute

90

d'un son ou lors de la réalisation d'une opération arithmétique.

L'extraordinaire travail du cerveau enfantin

L'étude de ces images montre que le cerveau du nouveau-né consomme peu d'énergie. Puis sa consommation augmente pour être égale à celle de l'adulte dès l'âge de 2 ans et devenir deux fois plus élevée à l'âge de 3 ou 4 ans. Autant dire que le cerveau d'un enfant de 3 ou 4 ans travaille deux fois plus que celui d'un adulte. Et ce travail intensif se poursuit jusqu'à 9 ans. À partir de ce moment, la consommation d'énergie, donc le travail du cerveau, diminue progressivement pour atteindre les valeurs adultes à la fin de l'adolescence.

Cette augmentation du travail cérébral à partir de la naissance se fait selon un calendrier très précis, par région cérébrale. Ainsi, peu après la naissance, c'est surtout le cerveau sensoriel qui est concerné. À l'âge de 3 mois, c'est le cortex, où les zones de la pensée s'enrichissent et travaillent de plus en plus. Mais, les régions du cerveau qui permettent les associations d'idées sont activées plus tard, à partir de l'âge de 7 mois et demi. Ainsi les phases de maturation du métabolisme des différentes zones cérébrales correspondent à leur utilisation visible dans le comportement du bébé et du jeune enfant.

Comment les zones du langage se connectent pendant l'effort de concentration

Les résultats de l'imagerie cérébrale ont permis de formuler plusieurs hypothèses sur le fonctionnement du cerveau en matière de langage.

Chez l'enfant normal, on observe que la région du cortex dévolue au traitement des sons, et notamment du langage, est nettement plus activée à gauche. Plusieurs zones sont activées et doivent se connecter entre elles. L'une d'elles, appelée aire de Broca, semble nécessaire pour déterminer si deux sons coïncident. Elle permet de séparer les consonnes des voyelles. Les sujets normaux mettent en jeu aussi une aire, appelée de Wernicke, nécessaire à la sollicitation de la mémoire à court terme. Et enfin une petite zone en forme d'île, appelée Insula, joue un rôle de pont entre les aires du langage. Ce pont relie l'aire de Broca et l'aire de Wernicke. Nous allons voir que l'ensemble de ces connexions ne s'active pas dans l'hémisphère gauche chez les enfants dyslexiques.

L'étude des sujets bilingues permet de préciser davantage le travail des zones spécifiques pour le langage au niveau du cerveau. Ainsi on a pu montrer chez des hommes droitiers bilingues que le traitement de la langue maternelle met en jeu de vastes régions de l'hémisphère gauche, relativement fixes d'un sujet à l'autre. En revanche, le traitement de la seconde langue implique des régions très variables d'un sujet à l'autre. Plus la seconde langue est apprise tôt, plus elle active aussi les régions de l'hémisphère gauche. Plus la seconde langue est apprise tard, plus elle active des régions de l'hémisphère droit. Ainsi la compétence dans la seconde langue, et l'âge d'acquisition plus ou moins précoce déterminent le rôle plus ou moins important de l'hémisphère gauche dans le traitement de cette langue.

Les sujets dyslexiques, eux, font généralement travailler leurs hémisphères de façon symétrique ; ils ne présentent pas la dominance gauche des enfants normaux. L'imagerie fonctionnelle a montré que les sujets dyslexiques sont incapables d'activer la zone de la perception du langage située normalement à gauche du cortex cérébral. Des études plus récentes ont confirmé des anomalies de connexion entre les zones du cerveau liées au langage. Ces travaux ont l'intérêt de mettre en évidence combien ces enfants peuvent être en difficulté ; il ne suffit pas de les gronder et de répéter inlassablement les règles de grammaire pour mettre en branle leur mécanisme de pensée. Ces anomalies d'activation sont sans doute la conséquence d'un défaut au cours du développement de l'enfant. Quelle est la cause de ce défaut ? Est-elle congénitale, ou est-elle due aux premières interactions avec l'environnement ? Nous allons essayer de mieux comprendre, en nous rendant plus loin dans l'intimité de la cellule elle-même, le neurone.

Il n'y a pas une seule zone du cerveau spécialisée dans la concentration

La concentration met en branle de nombreuses fonctions mentales. Les aires du langage, de la vision, de l'audition sont sollicitées. C'est pourquoi il n'y a pas une zone attribuée à la fonction intrinsèque « concentration », même si nous constatons que celle-ci va de pair avec le développement du langage et même si, lorsque l'enfant se concentre pour lire, ce sont les zones de l'hémisphère gauche du domaine du langage qui sont le plus visiblement actives.

Cette complexité de la représentation cérébrale de la concentration laisserait supposer que les capacités de concentration ont peu de chances d'être héréditaires comme l'intelligence elle-même.

L'hippocampe, centre de l'attention ?

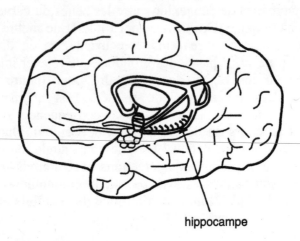

hippocampe

L'HIPPOCAMPE

Cette fine bande de substance nerveuse est impliquée dans l'apprentissage, l'identification des phénomènes récents et leur mémorisation. La concentration permet à votre enfant d'y fixer les informations et de les retrouver en cas de besoin.

Une récente étude américaine vient de démontrer pour la première fois chez l'homme que des neurones apparaissent encore à l'âge adulte dans l'hippocampe, une région justement spécialisée dans les processus de mémorisation et d'apprentissage ! « Nous savons désormais que certaines régions du cerveau gardent une capacité à se développer tout au long de la vie, dit Alain Privat, spécialiste du développement et de la plasticité du système nerveux de l'université de Montpellier. Il est encore trop tôt pour connaître le lien exact entre le développement des neurones et les fonctions cérébrales d'apprentissage et de mémorisation. Le cerveau est

94

encore une forêt vierge pour les neurologues. Mais nul doute que ce domaine de recherche est l'un des plus passionnants. »

Comment les neurones s'enlacent pour se concentrer

Découvrir comment se tisse la toile de la concentration dans le cerveau de l'enfant vous aidera à comprendre la manière dont on peut traiter les troubles et les prévenir. Car les circuits cérébraux ont un rôle crucial dans la mise en place et le contrôle des processus de la connaissance. Ce rôle est si important pour nos enfants que l'étude du développement du système nerveux, et particulièrement du cortex cérébral, constitue aujourd'hui l'une des premières priorités de recherche dans le domaine de la santé publique.

Plusieurs neuropédiatres en France et dans le monde, dont le professeur Evrard, de l'hôpital Robert-Debré à Paris, ont montré ce qui se passe au niveau des cellules du cerveau chez les tout petits bébés.

Notre cerveau révèle peu à peu ses secrets : cent milliards de neurones se tendent les bras, échangent des substances chimiques, dans des milliards de synapses, créant une infinité de circuits. Le XXe siècle a avancé à pas de géant dans l'exploration de nos neurones.

Aujourd'hui, la concentration apparaît comme un ensemble de systèmes spécialisés, disséminés dans de multiples localisations cérébrales. Il n'y a pas un centre unique qui capte, enregistre, sélectionne, mémorise et rappelle en temps opportun l'ensemble des informations utiles. La concentration met en jeu toutes les grandes fonctions : langage, émotion, raisonnement...

Le cerveau humain possède son capital de neurones quasi complet à la naissance.

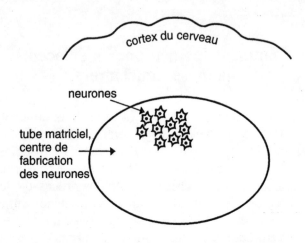

LA CONSTRUCTION DU CERVEAU COMMENCE TÔT

La production des neurones par multiplication cellulaire au niveau du tube matriciel culmine au troisième et au quatrième mois de grossesse : le rythme de production atteint alors 5 000 neurones à la seconde.

Les neurones, c'est-à-dire les cellules nerveuses, ne se multiplient pratiquement plus, contrairement à la plupart des autres cellules de l'organisme. Heureusement que nous naissons avec un capital de neurones très riche !

Pourquoi le cerveau de l'enfant grossit ?

Que se passe-t-il au niveau du tissu cérébral lui-même, alors que, après vingt semaines de vie in utero, les neurones ne se multiplient plus ? Leur nombre n'augmente pas, mais ils se développent essentiellement selon deux processus particulièrement riches :
– Chaque neurone se prolonge par une grande queue, l'axone, qui se recouvre progressivement au cours de la

première année de la vie d'une enveloppe de substance blanche. Cette substance permet d'augmenter la vitesse de conduction du courant électrique le long de ce grand flagelle. C'est la myéline.

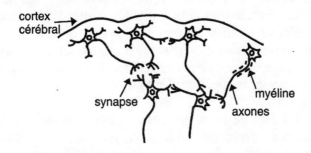

LA CROISSANCE ET LA DIFFÉRENCIATION DES NEURONES :
DE LA MOITIÉ DE LA GROSSESSE
JUSQU'À L'ÂGE ADULTE... ET AU-DELÀ

Les neurones tendent leurs bras : les axones. Ils s'articulent entre eux : ce sont les synapses. Ainsi se forme un réseau de communication indispensable à la concentration.

– Par ailleurs, les contacts entre la tête d'un neurone et la queue du neurone suivant se font grâce à des tentacules qui s'entremêlent. On appelle cet enchevêtrement la synapse. Au niveau de cette synapse s'échangent des produits chimiques appelés les neuromédiateurs qui permettent la transmission le long de la chaîne des neurones. Or, la richesse d'enchevêtrement des synapses est en corrélation avec les stimulations apportées par l'environnement. Plus l'environnement d'un jeune animal ou d'un bébé apporte d'informations affectives et intellectuelles, plus ses synapses s'enrichissent, s'interconnectent, se développent. Cette interaction entre les stimulations de l'environnement et la richesse des synapses est d'autant plus grande que l'enfant est plus jeune. Cela signifie que les stimulations ont un effet très

97

important sur le développement des pointes de contact entre les neurones chez le bébé, moyen chez le jeune enfant et de plus en plus faible avec l'adolescence. Même s'il persiste encore à l'âge adulte des possibilités de stimuler ces synapses, celles-ci sont bien plus nombreuses chez le tout petit bébé. C'est dire l'importance des premières stimulations de l'environnement sur les possibilités ultérieures d'enregistrement et de décryptage des messages, ce qui bien sûr influera sur les capacités de concentration de l'enfant.

Au milieu de votre grossesse, votre futur bébé a déjà tous ses neurones ! La construction du cerveau commence tôt : à la cinquième semaine de la grossesse, les cellules nerveuses se multiplient et les grandes régions du futur cerveau sont déjà reconnaissables. La production des neurones par multiplication cellulaire bat son plein au troisième et au quatrième mois de grossesse, au rythme de cinq mille à la seconde ! À vingt semaines, son lot de cent milliards de neurones est constitué. Dès lors, ce capital de cellules nerveuses, fondement de l'activité intellectuelle, ne fera que diminuer, sans compensation véritable, jusqu'à la fin de la vie.

Les jeunes neurones à peine formés se déplacent pour gagner la périphérie et y constituer l' « écorce » du cerveau, appelée cortex. Le trajet à parcourir est long, surtout vers quinze semaines de grossesse lorsque s'accroît l'épaisseur du cerveau. Comme le fait remarquer Philippe Evrard : « Si nous comparons la taille d'un jeune neurone et la nôtre, c'est comme si nous devions parcourir 14 kilomètres à pied. » Les neurones sont guidés dans ce parcours par des fibres qui tissent une toile d'araignée. De nombreux neurones rejoignent ainsi leurs emplacements exacts qui leur sont réservés à la super-

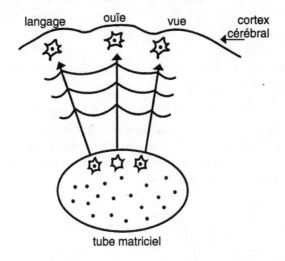

LA MIGRATION DES CELLULES NERVEUSES VERS LE CORTEX

Chaque neurone doit atteindre avec précision la place exacte qui lui est réservée. Les neurones « migrent » de la profondeur où ils ont été produits en glissant le long d'une sorte de toile d'araignée faite de rayons de connexions entre ces rayons.

Nous connaissons de mieux en mieux les troubles de la migration neuronale, qui expliquent certaines difficultés d'apprentissage de l'enfant.

ficie du cerveau. Les « rayons » de cette toile fibreuse et les connexions entre ces fibres sont beaucoup plus nombreux chez l'homme que chez tout autre mammifère. Ainsi, chez le fœtus normal, l'endroit où chaque neurone s'arrête dans sa migration est soigneusement programmé génétiquement pour former les « couches » successives du cortex. Des facteurs toxiques extérieurs comme l'alcool, les drogues, les virus nuisent à la bonne migration des neurones et donc à l'établissement de connexions normales.

La grande fragilité du cerveau fœtal est évidente dans cette période de développement complexe. On peut ainsi identifier des maladies de la migration neuronale, survenant au cours de la construction du cerveau humain.

Pendant le dernier trimestre de la grossesse, le cerveau se plisse

Les neurones se différencient, se spécialisent et cherchent les autres neurones auxquels ils doivent s'associer pour former un réseau, leurs neurones « cibles », ceux dont la connexion est inscrite dans leur programme génétique.

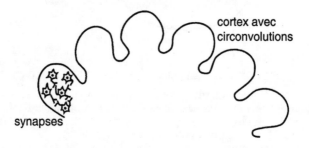

cortex avec circonvolutions

synapses

LES SYNAPSES CONNECTENT LES NEURONES DE LA 20ᵉ SEMAINE
APRÈS LA CONCEPTION JUSQU'À LA PUBERTÉ

Dès qu'ils touchent leur « cible », les axones établissent des contacts actifs – appelés synapses – avec les « mains » d'autres neurones : les dendrites, appartenant à leurs « neurones cibles ». Durant la deuxième moitié de la grossesse les circonvolutions cérébrales apparaissent.

Ce neurone est parfois situé dans une autre zone du cerveau : par exemple un neurone dans la zone de la vision doit se connecter avec un neurone dans la zone du langage et de la connaissance des couleurs. Heureusement, l'axone du premier neurone à devoir faire ce chemin est muni d'une sorte de tête chercheuse, appelée

« cône de croissance ». Une fois en place, ce réseau s'amplifiera pendant la fin de la grossesse puis durant la vie postnatale : le « câblage » continue, les axones poussent, les synapses enlacent leurs terminaisons, au sein desquelles s'échangent les neuromédiateurs.

La construction cérébrale est si intense pendant la deuxième moitié de la grossesse que le cortex se plisse pour accroître sa superficie dans l'espace restreint de la boîte crânienne. Ainsi se forment les circonvolutions cérébrales propres aux mammifères supérieurs. Ce plissement ne survient qu'en fin de grossesse, les grands prématurés ont encore un cerveau lisse.

Après la naissance, les stimulations enrichissent le réseau cérébral

La spécialisation des neurones commence donc bien avant la naissance et se poursuit ensuite, formant des aires aux fonctions précises :

— certaines circonvolutions sont riches en neurones moteurs pour les mouvements des mains, des pieds...

— d'autres aires sont spécialisées dans la sensibilité, au chaud, au froid, à la douleur, par exemple ;

— d'autres à la vue, à l'ouïe, à l'odorat...

Le travail de connexion entre tous ces neurones, qui commence au deuxième trimestre de la grossesse, culmine durant la première année de la vie postnatale, se ralentit à la puberté et comporte sans doute encore des développements positifs durant le « troisième âge ».

Le volume du cerveau est multiplié par quatre pendant l'enfance

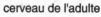

cerveau du nouveau-né   cerveau de l'adulte

 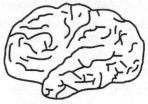

LA PÉRIODE SI RICHE DE LA PREMIÈRE ANNÉE POSTNATALE

Le développement postnatal se mesure par un paramètre qui témoigne d'une véritable « explosion ». Le poids du cerveau adulte se situe autour de 1 400 grammes : depuis la naissance, il a augmenté d'environ quatre fois.

Si le nombre de neurones n'augmente plus, cela ne veut pas dire pour autant que le cerveau ne se développe pas. On sait combien le développement cérébral est intense pendant les premiers mois de la vie : le poids du cerveau est ainsi multiplié par quatre entre la naissance et l'âge adulte ! Il pèse en moyenne 350 grammes chez le nouveau-né et atteint 1 400 grammes chez l'adulte. Cette croissance de la substance cérébrale est principalement due à la prolifération fantastique des prolongements neuronaux et des synapses par lesquelles ils s'enlacent. Cette prolifération se poursuit intensément jusqu'à l'âge de 4 ans ; puis encore, par vagues successives, jusqu'à la puberté et au-delà.

Le tour de tête témoigne de ce développement cérébral. Le périmètre crânien du nouveau-né moyen est de 35 cm ; à 1 an, il mesure 10 cm de plus, 45 cm ; à 2 ans, il mesure 50 cm ; et ensuite il se stabilise à l'âge de 3 ans.

C'est pourquoi le crâne a des soupapes permettant cette rapide augmentation de volume, ce sont les fontanelles, la plus grande étant la fontanelle antérieure, la plus impressionnante pour les mamans ; les os du crâne forment une sorte de tulipe dont les pétales ne sont pas soudés à la naissance : ils permettent ainsi au cerveau de grossir librement et ne se soudent que progressivement, entre 18 mois et 3 ans.

Quand meurent les neurones...

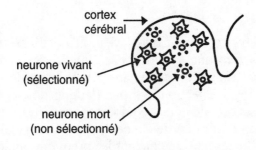

cortex
cérébral

neurone vivant
(sélectionné)

neurone mort
(non sélectionné)

DES MORTS POSITIVES

La mort « normale » de neurones pendant le développement, qui peut atteindre un tiers d'entre eux, est indispensable et a une signification positive pour créer des connexions spécifiques entre les différentes régions du cortex. Ce tri se fait sous l'influence des stimulations, qui sélectionne les circuits nécessaires.

Dans cette intense prolifération des structures nerveuses, il n'y a pas la place pour tout le monde. Certains neurones meurent, mais, ce sont des morts positives, nécessaires à la survie des spécialités indispensables. Par exemple, si vous êtes dans un milieu linguistique français, les neurones capables de percevoir certains sons spécifiques de la langue japonaise vont mourir pour laisser la place à nos spécialistes du « r ». Ainsi, la mort « normale » de neurones pendant le développement peut

103

atteindre un tiers d'entre eux. Elle est indispensable pour créer des connexions spécifiques entre les différentes régions du cortex. Beaucoup de synapses seront éliminées, sauf celles qui ont été engagées dans des activités neuronales spontanées et surtout dans des activités neuronales stimulées par l'environnement.

Bien qu'il soit déjà actif avant la naissance, cet élagage et la mort cellulaire programmée de neurones sont particulièrement intenses pendant la vie postnatale, en réponse à l'environnement.

L'influence de vos stimulations sur les neurones

Le développement du cerveau et l'établissement des connexions sont stimulés par l'environnement. Cette étape d'élimination de synapses inutiles et de maintien de synapses sélectionnées par l'action de l'environnement est cruciale pour l'équipement cérébral futur, donc pour les possibilités de concentration. Ce travail est particulièrement intense pendant les premières années de la vie et donnera à l'environnement et aux stimulations l'occasion de laisser une empreinte indélébile sur le cerveau de votre enfant. Mais nous allons voir que son développement n'est pas pour autant définitif dès les premières années. Une grande part de plasticité nous reste offerte !

Le cerveau est plastique jusqu'à la puberté, et au-delà...

La capacité des structures cérébrales de se développer de manière variée dépend de la manière dont elles s'associent en réseaux. Des événements négatifs peuvent influer sur le développement du cerveau de votre enfant : les mutations génétiques, les difficultés ante et postnatales, les agressions de l'environnement, les maladies, sont à l'origine de déficits d'autant plus sévères qu'ils surviennent plus tôt pendant le développement. Les lésions cérébrales qui en découlent ne peuvent presque jamais être entièrement gommées. Mais la capacité de modulation du cerveau (on dit qu'il reste « plastique ») permet heureusement l'établissement de réseaux entre les neurones qui peuvent au moins partiellement compenser la fonction perdue. Ainsi, a-t-on pu montrer qu'un programme de trois années de stimulation adaptée des nouveau-nés hypotrophes (nés à terme avec un poids inférieur à 2 kilos) leur faisait gagner 13 points de quotient intellectuel. Au plan de la motricité également, il a été établi que la stimulation des membres permet la stabilisation d'axones moteurs surnuméraires normalement destinés à disparaître. Ils peuvent alors suppléer des neurones lésés. Ainsi s'ouvrent de réels espoirs pour la prise en charge des handicaps et des lésions cérébrales au cours du développement. C'est pourquoi la rééducation en cas de difficultés doit être précoce, active et bien adaptée.

Le cerveau de votre enfant : un miracle quotidien

On peut dire que le cycle complet du développement est tellement complexe que c'est un miracle chaque fois qu'il se termine bien. C'est le cas le plus fréquent. Il n'en reste pas moins que chacun d'entre vous voudrait donner à son enfant le meilleur départ possible dans la vie et les plus grandes chances de bonheur. Pour cela, nous sommes conscients que, dans notre société, un cerveau riche de connexions facilitera la perception de l'environnement et la capacité d'adaptation à des situations nouvelles. Aussi, même si votre enfant est parfaitement normal, un trouble de concentration mérite un soutien adéquat.

Jusqu'à la fin de la vie,
le cerveau reste modulable par l'expérience

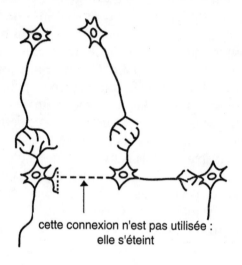

cette connexion n'est pas utilisée :
elle s'éteint

ET LE CERVEAU RESTE MODULABLE TOUTE LA VIE...

Il a la capacité de se modifier avec l'expérience. Les réseaux neuronaux peuvent toujours adapter leurs formes et interrompre certaines de leurs connexions. Ces mécanismes permettent d'optimaliser les circuits avec l'expérience.

À l'âge adulte, les réseaux neuronaux cérébraux peuvent encore optimiser leurs circuits en fonction des expériences vécues. Les neurones, même s'ils ne se multiplient plus, peuvent modifier leurs formes et interrompre certaines de leurs connexions. La modulation cérébrale par l'expérience est sans doute un des mécanismes cruciaux des processus d'apprentissage. Ces mécanismes semblent encore pouvoir apporter des améliorations à des âges plus avancés. La notion de modulation cérébrale est une dimension extrêmement positive du développement.

Donner à l'enfant les conditions optimales pour son éveil est notre devoir à tous, parents, pédiatres, éducateurs. Nous avons vu l'extrême complexité du développement cérébral, de la conception à la vie d'adulte. Nous devons le protéger pendant la grossesse, éviter les toxiques, permettre que l'enfant naisse dans les meilleures conditions de sécurité. Ensuite nous devons vous aider, vous parents, dont la tâche est si importante, à donner le meilleur environnement possible à votre enfant : la chaleur affective nécessaire à sa concentration, les multiples informations enrichissant ces extraordinaires arborescences neuronales. Ainsi, comme le dit le professeur Evrard, nous devons tout mettre en œuvre pour que « nos enfants bénéficient des conditions optimales pour surmonter par la prévention et par la qualité de l'environnement tout ce qui pourrait mettre un seul de nos enfants dans des conditions qui ne sont pas optimales à son développement et à son épanouissement ultérieur ».

Les médicaments de la concentration

Le magnésium
C'est un activateur des réactions cellulaires. Ses effets sur le système nerveux central sont connus. Une baisse du taux de magnésium entraîne irritabilité et hyperémotivité, toutes deux nuisibles à la concentration. Cette baisse est souvent associée à une impression de fourmillement des mains.

La carence en magnésium peut être vérifiée sur les signes de spasmophilie décelés par votre médecin ; grâce à l'enregistrement du courant électrique au niveau de la jonction entre les nerfs et les muscles; parfois par le dosage du magnésium dans le sang – mais ce taux peut être normal alors que les réserves sont basses dans les cellules.

Votre enfant trouvera du magnésium dans les céréales, les fruits secs, le chocolat, les bananes, les légumes secs (haricots, pois, lentilles).

Il existe de nombreuses préparations pharmaceutiques à base de magnésium. Mais attention, un surdosage a un effet sédatif !

Les vitamines

La vitamine B est la plus importante pour les neurones, et l'on sait les dégâts nerveux causés par le béri-béri dû à une déficience en cette vitamine.

L'idéal est que votre enfant reçoive en permanence un apport le plus naturel possible en toutes vitamines. Pour cela, une alimentation diversifiée est indispensable (voir p. 126). En hiver, vous pouvez compléter par un apport en multivitamines. Mieux vaut une petite dose quotidienne qu'une forte dose ponctuelle.

La fameuse « Ritaline » (ou chlorhydrate de méthylphénilate)

Elle a fait couler beaucoup d'encre, trouvant des adversaires farouches et des partisans enthousiastes. Aujourd'hui, avec un peu de recul nous y voyons plus clair.

Je dois vous dire d'abord que la Ritaline n'est pas la panacée pour tous les troubles de concentration. Elle est réservée à certains enfants souffrant du syndrome de déficit d'attention avec troubles hyperkinétiques (TADHA) (voir p. 76). La thérapeutique est décidée conjointement par le neuropédiatre et le psychologue car la prescription de méthylphénidate ne peut se faire qu'après réalisation d'un bilan clinique approfondi neuropédiatrique et neuropsychologique. La prescription obéit à des règles strictes et doit associer une approche éducative et un soutien psychologique.

À ces seules conditions, l'efficience intellectuelle de ces enfants hyperactifs et leur comportement pourront être facilités, ce qui permettra une meilleure intégration familiale et sociale (surtout scolaire), indispensable à leur épanouissement. Le traitement donne d'excellents résultats lorsque le trouble hyperkinétique avec déficit de l'attention ne s'accompagne pas de déficit intellectuel ou de problème psychoaffectif important. Il permet une activité plus dirigée et plus productive, il renforce la concentration et les capacités d'apprentissage. Une étude réalisée chez 118 enfants de 6 à 14 ans pour juger l'efficacité de la Ritaline en comparaison avec un placebo a montré que 85 p. 100 des enfants étaient améliorés dans les tests d'attention contre 15 p. 100 dans le groupe placebo. L'efficience intellectuelle est matérialisée par la réussite scolaire. Du fait de l'amélioration des capacités de concentration et d'attention, l'enfant est plus accessible à l'enseignement, ce qui permet l'apprentissage. Le bénéfice lié au médicament tient surtout à l'amélioration du comportement de l'enfant, mieux adapté en classe, et aux progrès de sa concentration. L'étude de l'efficience scolaire chez les enfants traités médicalement montre une amélioration significative dans les différentes matières et plus spécifiquement en orthographe. La Ritaline permet aussi un meilleur contrôle de la motricité fine, comme en témoigne l'amélioration de la graphomotricité. Ces progrès dépendent du dosage. En diminuant l'agitation, on améliore l'intégration sociale.

Le traitement a aussi des conséquences sur le fonctionnement familial : il existe une amélioration significative des relations affectives dans la famille, surtout les relations mère-enfant, et à l'intérieur de la fratrie. En revanche, si l'enfant a des troubles émotionnels, la Ritaline n'apporte que peu de changements. Sur le plan social, les comportements perturbateurs sont améliorés sans diminution du niveau de sociabilité.

Il n'y a pas de posologie standard. Elle doit être adaptée aux besoins et à la sensibilité de chaque enfant. On débute par des doses faibles. À forte dose, on observe des effets contraires avec baisse des performances. La prescription ne sera effectuée que pour les jours de classe et durant la période des vacances lorsque l'enfant a des activités intellectuelles (devoirs de vacances par exemple). Il est important d'interrompre la prescription un à deux jours par semaine pour éviter les effets d'accoutumance.

Le principal effet indésirable de ce traitement peut être l'apparition de tics. On note aussi des troubles du sommeil, mais transitoires, et une diminution de l'appétit dans 8 p. 100 des cas.

La prise en charge des enfants hyperactifs doit être multidisciplinaire. Il est tout aussi indispensable de réaliser une prise en charge du déficit cognitif (orthophonie, psychomotricité, ergothérapie) associée à une aide psychologique ou psychothérapeutique quand elle est jugée nécessaire pour l'enfant et pour ses parents.

Si aucune amélioration n'est observée au bout d'un mois, le traitement doit être interrompu. Dans le cas contraire, il sera habituellement poursuivi pendant 1 à 3 ans. En France, cette thérapeutique doit être initiée et suivie par des consultations hospitalières.

5

COMMENT EXERCER PRÉCOCEMENT LA CONCENTRATION ?

Le fœtus déjà se concentre in utero...

Le fœtus développe déjà ses propres facultés de concentration, de réception sensorielle et de réponse motrice.

Le cerveau du fœtus croît à grande vitesse. Son programme de construction dépasse tous les autres en complexité. Ainsi, le fœtus acquiert plus précocement qu'on ne le pensait certaines compétences : il est prouvé aujourd'hui qu'il a des capacités de perception qui permettent à ses circuits neuronaux de se connecter et donc à ses facultés de concentration de s'exercer, déjà dans le ventre de sa mère.

Les extraordinaires capacités du fœtus à capter les informations

On a beaucoup discuté pour savoir si le fœtus entendait bien in utero alors que sa trompe d'Eustache est bouchée et qu'un paquet gélatineux encombre son oreille moyenne. Mais, depuis 1970, les méthodes d'observation de l'audition sont plus performantes et permettent de distinguer deux types de réponses. Dans la première période de la vie fœtale, lorsque la mère parle, la structure physique de sa parole se transforme en toucher qui stimule le fœtus et celui-ci tend la bouche et les mains pour explorer sa cavité amniotique. Seules les basses fréquences passent et font résonner le corps du bébé, qui change de position ou fait des cabrioles. Il arrive alors qu'il saisisse le cordon ou frôle le placenta.

À partir de la vingt-septième semaine in utero, le bruit n'a plus la forme d'une invasion sonore déclenchant une réponse motrice, c'est devenu l'objet d'une perception active : le fœtus est maintenant neurologiquement apte à traiter cette perception pour se créer une représentation. La preuve en est que, si la mère chantonne, il répond par l'accélération de ses battements cardiaques et par ses mouvements. Non seulement il réagit aux sons et aux musiques qu'il connaît, mais il en gardera la mémoire, comme l'ont prouvé des expériences avec le refrain du basson de *Pierre et le Loup* : diffusé près du ventre de la mère pendant la grossesse, puis dans la chambre de l'enfant une fois né, cet air calme ses pleurs. On a observé le même effet avec le générique d'un feuilleton télévisé très connu en Angleterre : lorsque la femme enceinte l'a suivi régulièrement en fin de grossesse, le refrain calme ensuite le nouveau-né. Donc le fœtus entend et le bébé se souvient. Cela grâce à la stimulation et la compétence de ses neurones, et donc de son cerveau, in utero.

De même le fœtus a des papilles gustatives qui peuvent détecter le sucré, le salé ou l'amer. Il gardera ainsi le souvenir des aliments préférés de sa mère.

Il voit : dès le septième mois, ses paupières s'ouvrent et son œil capte la lumière ; il y réagit.

Les atouts de la concentration du bébé dès sa conception

Connaissant maintenant ces compétences, on imagine ce qui peut favoriser le développement des possibilités de concentration dès la vie intra-utérine. Plusieurs éléments sont indispensables :

– une bonne vascularisation du fœtus grâce à un placenta fonctionnel ;

– un apport de glucose suffisant au cerveau, cet organe en consommant beaucoup ;

– une alimentation maternelle riche en facteurs essentiels au cerveau, protéines et acides gras ;

– un séjour suffisant in utero, à l'abri, pendant les quarante semaines normales de la gestation.

Cocaïne, tabac et verres d'alcool : les grands ennemis du cerveau fœtal

Lorsque des anomalies se produisent au cours du développement, le cerveau du fœtus en pâtit. Après vingt semaines de vie intra-utérine, il n'y a plus aucune possibilité de multiplication neuronale compensatoire ni de formation de neurones nouveaux pour remplacer des neurones détruits suite à une agression infectieuse, un manque d'oxygène, ou un toxique par exemple. On observe ainsi plus fréquemment des troubles de concentration chez les enfants ayant souffert d'une mauvaise irrigation de certaines zones cérébrales pendant la grossesse. L'imagerie illustre de plus en plus précisément les dégâts cérébraux dus à des troubles vasculaires antenataux. Lorsque le cordon et le placenta ont un fonctionnement perturbé, par exemple en cas d'hypertension artérielle, de tabagisme ou de toxicomanie maternels, il peut s'ensuivre une hypotrophie fœtale avec souffrance

113

cérébrale augmentant le risque ultérieur de troubles psychiques. Les stimulations intensives, l'affection, un soin tout spécial pour son éducation pourront sans doute compenser une partie des dégâts, mais c'est évidemment une forme grave de sévices que d' « injecter » de la cocaïne à son enfant par le placenta. La grande prématurité, en particulier en dessous de trente-trois semaines et de 1 500 grammes de poids de naissance, s'accompagne, comme en témoigne le suivi des grands prématurés, d'une fréquence plus grande de troubles psychomoteurs, et en particulier de concentration.

Si je vous ai parlé là de phénomènes démontrables, quantifiables et vérifiables, il existe aussi une influence plus difficile à mesurer de l'environnement sur le fœtus : un climat serein pendant la grossesse, des conditions psychologiques favorables pour la mère influent certainement sur le bien-être du fœtus in utero et sur son développement cérébral.

De la même façon, le bébé se synchronise avec les rêves de la maman. L'échographie a montré que, lorsque la mère rêve, il se produit un relâchement musculaire de la cavité utérine qui devient alors spacieuse. L'hypotonie musculaire provoquée par l'état de rêve chez la mère entraîne donc une augmentation de l'espace dans lequel peut se mouvoir le fœtus qui dispose alors de plus de place pour bouger. L'interaction de celui-ci avec les grandes émotions de la mère est confirmée par les nombreux témoignages des mamans concernant des gambades du fœtus quand elles pleurent ou sont émues, par exemple au cinéma.

Le fœtus nous fournit encore des indices de sa perception de l'émotion maternelle lorsque son cœur s'accélère, lorsqu'il porte ses mains en avant, qu'il gambade avec ses jambes et ses pieds, lorsqu'il grimace ; il y a alors interaction entre le cerveau de l'enfant et les émotions de la mère. Comme le dit si joliment Boris Cyrulnik : « Ce n'est donc pas une cire vierge qui débarque sur terre, mais un petit homme déjà personnalisé par son profil comportemental, son émotivité et ses premières représentations mentales. »

Mais n'exagérons pas : depuis que les mamans sont conscientes de l'importance de leurs émotions sur le bébé in utero, elles me demandent souvent si, leur grossesse ayant été sujette à des péripéties psychiques, leur enfant n'en sera pas traumatisé pour toujours. Je tiens à les rassurer : les cabrioles que nous montrent les fœtus à l'échographie rendent compte de leur grande autonomie. Ils savent répondre au stress maternel par des interactions positives. Nous verrons plus loin que, pour les tout jeunes nourrissons, ce qui est grave et préjudiciable ce ne sont pas les épisodes de bonheur et de chagrin qui font partie de toute vie humaine, mais l'indifférence parentale, par exemple dans le cadre d'une dépression maternelle.

Chaque fœtus réagit déjà selon sa personnalité

Un fœtus porté dans la joie, dans l'amour et la santé maternelle a toutes les chances d'avoir un cerveau apte à apprendre et à fixer sa concentration dès la naissance.

À l'inverse, un fœtus qui souffre de problèmes graves, comme des troubles vasculaires provoquant une mauvaise irrigation du cerveau, ou une grande prématurité, peut ne pas avoir de séquelles apparentes importantes, si ce n'est les difficultés de concentration.

Dès que les synapses forment des circuits dans le cerveau, on voit des profils de comportement s'esquisser de façon différente d'un fœtus à l'autre. Certains bébés tètent beaucoup le liquide amniotique, leur pouce, le cordon ; d'autres gambadent activement (956 mouvements par jour), alors que certains sont très calmes (56 mouvements par jour). Quand sa mère chantonne, bébé sursaute, cligne des paupières et boit plus facilement le liquide amniotique. Un fœtus déglutit chaque jour 3 à 4 litres de liquide savoureux. Ainsi voit-on une différence dans l'aptitude in utero à traiter certaines informations, à exercer sa sensorialité, à se concentrer sur telle ou telle information de l'environnement utérin, à se familiariser par sa mémoire et à savoir y répondre par des gestes des mains et de la bouche.

Il est établi aujourd'hui que les enfants nés avant terme, les grands prématurés (de très petit poids) et les enfants hypotrophes ont plus de risques de difficultés de concentration ultérieurement que les enfants nés à terme avec un développement normal. Il est donc certain que les troubles du développement cérébral conditionnant la concentration peuvent commencer in utero. Heureusement, une stimulation chaleureuse dès la naissance permet à des circuits compensateurs de rétablir les aptitudes, et cela d'autant mieux que cette stimulation est entreprise précocement.

Papa-Maman, ma planète-concentration

Les stimulations précoces favorisent la concentration

Personnellement, je me suis souvent dit qu'en observant une mère interagir avec son bébé de 3 mois, on peut déjà prédire les capacités ultérieures de concentration de celui-ci, ses facilités pour l'apprentissage scolaire et son adaptation sociale.

Plusieurs études détaillent comment fonctionne l'interaction entre le bébé et sa mère et démontrent la relation entre les stimulations précoces du nourrisson, les capacités d'attention de l'enfant et la mesure du développement intellectuel ultérieur.

La concentration testée à 6 mois de vie a été relevée comme un facteur prédictif à 60 p. 100 des variations de quotient intellectuel ultérieur chez les enfants testés entre 2 et 8 ans. Ainsi, il semble que l'on puisse prévoir précocement les facultés de compréhension des enfants en étudiant leur faculté de concentration dès les premiers mois.

La stimulation des nourrissons par leur mère a été testée sur un plan visuel, tactile et linguistique à 2 et 5 mois. Puis on a relevé le rapport entre l'importance de la stimulation maternelle d'une part, et la richesse du langage et les capacités de concentration à 1 an ; les capacités de compréhension à 1 an et demi ; les capacités de compréhension et de langage à 2 ans ; les capacités de langage à 3 ans ; les tests de QI à 4 ans et à 6 ans et la performance scolaire à 6 ans.

Cette étude prouvant les relations entre la stimulation maternelle et les capacités ultérieures de concentration a été conduite chez 37 mères et 37 enfants, 19 garçons et 18 filles. Ce sont des bébés nés à terme, à New York, de mères de groupe socio-économique moyen.

Les premiers tests ont donc eu lieu à 5 mois d'âge, à la maison et en laboratoire ; puis à la maison à 13 mois. Au laboratoire, les nourrissons étaient testés en face de planches de dessins dont les caractères intéressants pour les enfants avaient été précédemment établis. Des enregistrements vidéo de l'attention de l'enfant étaient effectués. Ces enregistrements permettent d'évaluer la capacité d'intérêt d'un enfant pour la cible présentée ; sa faculté de concentration peut être mesurée en secondes par film vidéo, en fonction de la direction de son regard.

Dans un deuxième temps, l'interaction mère-enfant était testée à la maison. La maman était encouragée à avoir un comportement normal et les dix premières minutes de présence de l'observateur n'étaient pas considérées comme valables dans les tests. Ensuite étaient notés tous les encouragements à l'attention de son enfant prodigués par la mère. On notait les efforts de la maman pour retenir son attention, soit physiquement, soit verbalement ; soit vers elle-même, soit vers un objet ou une personne de l'environnement immédiat. Les mères peuvent exercer cet encouragement à l'attention en pointant un objet, en le nommant, en décrivant à l'enfant la qualité de cet objet : « Oh ! Regarde comme il est beau ! » en positionnant l'enfant dans son cosy de telle sorte qu'elle-même ou l'objet soit dans le champ de vision ou à portée de main de l'enfant. Seuls étaient notés les encouragements de la mère à l'attention de l'enfant et non pas les activités maternelles périphériques qui n'allaient pas « à la pêche » en quelque sorte de l'attention du bébé.

Ces tests d'évaluation de la concentration du bébé et des efforts de la maman pour encourager cette concentration étaient renouvelés pendant six visites par des observateurs différents, et la note moyenne était retenue.

Au cours du treizième mois avait lieu une nouvelle observation à la maison. L'expérimentateur commençait par interroger la maman à propos du vocabulaire produit et compris par l'enfant. Un enregistrement vidéo des jeux entre la mère et l'enfant était effectué pendant un quart d'heure. Les tests du langage se fondaient sur une liste spécifique de mots dont l'expérimentateur demandait à la maman si le bébé les comprenait ou les disait. Les affirmations de la maman étaient ensuite vérifiées pendant le jeu avec l'enfant. Six entretiens mère-enfant étaient ainsi effectués et deux notes moyennes obtenues pour la compréhension et pour la production du langage.

Pour tester le jeu entre la mère et l'enfant, une batterie de onze jouets était placée sur le plancher en face d'eux :

onze jouets bien définis (une poupée, une couverture, une théière avec son couvercle, deux tasses à thé, deux cuillères, un téléphone, un train, un livre d'images, une balle). Ces jouets permettent à l'enfant de montrer ses différents niveaux de manipulation et d'imagination. L'ensemble était filmé pour être ensuite décrypté et noté selon une grille de lecture précise. Ce qui était noté était la façon de la mère d'encourager son enfant dans ses jeux. Ces tests sont très précis, cotant la simple manipulation, la juxtaposition, les relations de cause à effet et toutes les séquences de jeux prouvant que l'enfant est capable de plusieurs actions successives avec anticipation et compréhension plus ou moins grandes. Comme pour les autres tests, deux codeurs indépendants notaient l'action de l'enfant et la moyenne était retenue.

Les résultats ont montré que les encouragements maternels envers les enfants à 5 mois permettent de prédire dans une proportion significative la richesse de la compréhension du langage et des compétences à la pensée abstraite à 13 mois. On peut même chiffrer à 20 p. 100 la contribution de la stimulation maternelle précoce à la compréhension du langage dans la deuxième année.

Les auteurs de cette étude ont été si impressionnés par l'importance de la stimulation maternelle dès l'âge de 5 mois sur les capacités de concentration et de compréhension ultérieures de l'enfant qu'ils se penchent maintenant sur la période antérieure : à 5 mois, les bébés et les mamans ont déjà une considérable histoire commune d'échanges. Les chercheurs pensent que les premières interactions valorisent certainement la qualité d'échanges verbaux entre la mère et le bébé, et ils sont actuellement en train de pousser leurs investigations dans la période néonatale. On voit combien les capacités de concentration commencent tôt dans la vie. On a pu ainsi démontrer la corrélation entre la stimulation maternelle et la richesse du langage, mais aussi entre la stimulation maternelle et le développement du jeu. Les compétences dans les jeux sont autant accrues chez les enfants stimulés par leur mère que les compétences du langage. Ils sont plus concentrés dans leurs jeux et accomplissent les actions avec une capacité d'adaptation supérieure à celle des enfants peu stimulés. La distinction entre l'intelligence verbale et l'aptitude dans les jeux trouve donc là ses limites. Nous pourrions dire qui parle bien joue bien, qui se concentre bien sur les choses dites, puis écrites se concentre bien aussi sur son jeu.

Bébé filtre les informations pour mieux se concentrer

Le bébé utilise des « filtres attentionnels » pour sélectionner les informations qui lui sont utiles. Les études récentes sur les premières étapes de l'acquisition du langage montrent encore plus précisément comment la faculté de concentration et la rapidité à se concentrer dépendent des stimulations de l'environnement. On a étudié le temps de réaction des nourrissons américains et français à leur langue maternelle et à une langue étrangère. On s'aperçoit d'abord que les nourrissons s'orientent plus vite vers les énoncés de leur langue maternelle que vers ceux de la langue étrangère. Puis on leur fait écouter leur langue maternelle en mélangeant les mots et donc en enlevant le sens de la phrase. Le temps de réaction reste plus rapide pour la langue maternelle, mais le nourrisson perçoit la différence entre les phrases bien construites et celles à mots mélangés. Il se concentre moins vite lorsque les mots sont dans le désordre. Or, tous les nouveau-nés ont la compétence pour apprendre n'importe quelle langue de la planète. Rapidement et progressivement, ils perdent cette compétence pour se spécialiser dans leur langue maternelle. On peut donc dire que tout enfant a des capacités de représentation universelle de tous les sons mais, comme l'ont écrit Werker et Tees, la langue maternelle crée des filtres attentionnels qui bloquent la perception des autres langues. Ces phénomènes sont très précoces et ont une influence sur la capacité d'apprendre, et pas seulement sur la prononciation et la compréhension de la langue étrangère. En témoignent les études qui montrent la relation entre l'âge d'arrivée aux États-Unis et le score à un test de grammaire anglaise. Si l'on attend l'âge de 11 ans pour apprendre la grammaire anglaise, comme on le fait dans nos écoles aujourd'hui, il y a de fortes chances pour que l'écolier ait beaucoup plus de mal à se concentrer sur les exercices : comme nous l'avons vu, sa langue maternelle, donc la langue française, crée des filtres attentionnels, c'est-à-dire l'empêche de bien se concentrer sur la grammaire étrangère.

La concentration
pendant la deuxième année de la vie

Nous venons de voir comment les capacités d'attention ont été étudiées chez les tout petits nourrissons, car il est relativement aisé de filmer un bébé de 4 mois dans un fauteuil et de lui présenter des images fixes ou mobiles qu'il regarde la plupart du temps avec plaisir.

Pendant la deuxième année, c'est plus difficile : il est utopique de croire que, dans cette tranche d'âge, l'enfant suivra les consignes à la lettre, ou même restera en place suffisamment longtemps pour qu'une expérience se déroule de manière évaluable. On a donc sur cette période un grand nombre d'observations, sur les activités sociales et la vie en crèche, par exemple, mais très peu sur les activités cognitives et les capacités de concentration. On peut dire qu'un bébé de 3 à 5 mois est un système de traitement de l'information alors que celui de 18 mois est plutôt un partenaire de jeu. Pourtant, à la fin de la première année, l'enfant domine suffisamment son activité manuelle pour être un explorateur actif et, à certains moments, attentif. Il est capable de se déplacer, donc de varier ses plaisirs exploratoires. On peut ainsi penser que c'est pendant cette période et dans les mois qui suivent que l'enfant acquiert l'essentiel de ses capacités de se concentrer, capacités qui vont ensuite le servir ou le desservir dans les débuts de sa scolarité. Les parents connaissent bien la soif d'exploration des enfants pendant leur deuxième année. Ils essaient de la canaliser et de l'éduquer en tentant justement d'attirer et de maintenir l'attention de l'enfant sur les objets permis. Ce type d'intervention est très inégalement pratiqué selon les parents, ce qui a probablement des conséquences à terme sur la mise en place des capacités attentionnelles. Il apparaît donc que la connaissance des mécanismes de concentration et de leur développement dans cette période est particulièrement importante pour les parents.

Le comportement des parents ou de la personne qui s'occupe de l'enfant varie selon le tempérament et la disponibilité de chacun. Cette différence a donc très tôt des conséquences sur la mise en place des possibilités de concentration de l'enfant.

6

HYGIÈNE DE VIE ET CONCENTRATION

Je vous invite à analyser avec moi chaque élément de l'hygiène de vie de votre enfant. Cela vous permettra d'organiser le meilleur cadre pour favoriser sa concentration et éviter des problèmes, car la concentration ne se décrète pas, elle se favorise. S'il est une formule à bannir c'est « concentre-toi ». L'enfant voudrait bien, mais il ne sait comment s'y prendre. Il faut plutôt lui dire : « Organisons-nous ensemble pour que tu puisses mieux te concentrer. »

La concentration de votre enfant dépend de facteurs biologiques : par exemple, le respect de ses rythmes veille/sommeil, l'heure du petit déjeuner ; elle dépend de facteurs environnementaux : bruit ambiant, interaction avec les autres enfants ; elle dépend, bien sûr, d'autres stimulations de l'environnement : la télévision, les jeux vidéo ont une action démontrée sur la concentration ; elle dépend aussi de facteurs éducatifs et scolaires : effort de mémoire trop important, tâches trop difficiles pour l'enfant et monotonie du travail ; elle dépend enfin de facteurs psychologiques : sensoriels et émotionnels. Nous allons nous efforcer de cerner le rôle de chacun de ces facteurs.

Son alimentation

La concentration de votre enfant dépend étroitement de son alimentation. *Pour se concentrer, il faut qu'il soit nourri à sa faim.*

Un enfant mal nourri ne peut avoir les mêmes performances intellectuelles qu'un petit qui reçoit toutes les protéines, les glucides et les lipides dont a besoin son organisme, et en particulier son cerveau. Donc votre enfant ne doit pas partir à l'école en ayant faim, et ne doit pas sauter le repas de midi, comme on le voit hélas de plus en plus souvent.

L'organisation des repas favorise la concentration

Le petit déjeuner

Le petit déjeuner est l'occasion d'une rencontre entre les membres de la famille, il permet de préparer l'esprit à une bonne concentration. Car la diététique comprend aussi des facteurs affectifs. Le petit déjeuner doit d'abord être un moment de plaisir pour votre enfant.

Ne lui donnez surtout pas l'habitude de prendre son petit déjeuner tout seul. Comme le dit le docteur Boucher : « Comment voulez-vous déjeuner lorsque tout le monde autour de vous se presse, s'agite, jette un coup d'œil furtif sur sa montre, lance un " dépêche-toi " assassin, fait la vaisselle, essuie la table. L'enfant reste planté là morose, seul devant son bol qui refroidit, sa tartine qui sèche, le ventre noué par ce repas qui ne passe pas, par l'école qui l'attend, par la séparation d'avec ses parents qu'il ne verra pas de la journée... ». Réservez donc un quart d'heure pour être assis à table avec lui, de telle sorte que vous ayez des échanges. C'est un grand moment de communication : il partira à l'école en ayant pu faire le point de ses petits problèmes quotidiens. Demandez-lui par exemple quel camarade il est content de retrouver ce matin, si sa maîtresse est gentille en ce moment ; autant de questions qui vous permettent de répondre à ses problèmes relationnels et de le faire partir du bon pied en lui donnant confiance en lui et en sa capacité d'affronter une réflexion négative de l'enseignante ou les petites chamailleries entre les enfants. Rire avec sa maman et lui confier ses soucis, entendre ses encouragements avant de partir, c'est déjà risquer moins de se laisser distraire lorsque des moments d'attention seront requis par l'institutrice. C'est le rôle du petit déjeuner de permettre cette mise à plat des premiers soucis de la journée. Ainsi, en même temps que du lait et du chocolat, vous lui avez donné la réserve affective dont il a tant besoin. L'apaisement de la faim n'est donc pas le but unique du repas.

Mais parlons maintenant de son menu. La composition du petit déjeuner idéal est la suivante : ce repas doit contribuer pour 25 p. 100 à l'apport calorique quotidien (cet apport énergétique, pour vingt-quatre heures de la vie de votre enfant, doit être de 100 calories par kilo de son poids). Dans la pratique, on note que le petit déjeuner des enfants français est insuffisant (selon les dernières études publiées dans ce domaine, il tourne plutôt autour de 10 p. 100 de l'apport calorique).

Le petit déjeuner doit constituer un repas équilibré, avec :

– Du lait. Le lait peut être apporté de façon très variable. Vous pouvez remplacer le bol de lait par un yaourt ou du fromage blanc. Certains enfants aiment encore jusqu'à 4 ans, et même plus tard, prendre un grand biberon de lait à la maison avant de partir pour l'école. Pourquoi pas ? Ce peut être du lait demi-écrémé longue durée, mais si votre enfant est un petit mangeur, l'idéal est de continuer assez longtemps les laits de croissance qui compensent les manques en fer et équilibrent l'apport en graisses utiles au fonctionnement neuronal. S'il n'aime pas le lait chaud, vous pouvez le lui donner froid ou tiède.

– Ce lait sera accompagné de céréales, sous forme d'une tranche de pain, de deux biscottes, de pain d'épices ou de corn-flakes.

– Un jus de fruits, ou un fruit naturel de saison permettra de compléter l'apport vitaminique.

– Le beurre, la confiture, l'œuf, le jambon peuvent être donnés en complément pour ceux qui ont un grand appétit le matin et dont le poids est harmonieux. On s'en méfiera par contre chez ceux qui ont tendance à l'embonpoint. Surtout, ne forcez pas votre enfant à manger.

Pour les écoliers qui n'ont pas faim le matin, ceux qui se réveillent sans pouvoir rien avaler, il est rare que la prise d'un petit déjeuner familial, avec la table dressée ne joue pas un rôle attractif vers tel ou tel aliment, rapidement et spontanément. Mais si vraiment votre enfant n'a pas envie d'avaler quelque aliment que ce soit dans sa période de préparation du matin, ne le forcez pas et préparez-lui un petit déjeuner ambulatoire qu'il pourra prendre sur le trajet de l'école. Vous disposez pour cela de briquettes de lait chocolaté ou à la fraise, à boire à la paille, et de biscuits de céréales au chocolat.

La collation de la matinée

Elle est rituelle en maternelle, où la plupart des écoles proposent aux enfants, lors de la récréation de 10 heures, un verre de lait avec un biscuit. Si votre enfant est en déficit pondéral, c'est-à-dire si son poids est inférieur à la norme pour son âge, vous pouvez prolonger cette collation à l'école primaire, mais choisissez alors un petit biscuit et un fromage à pâte molle en emballage individuel, plutôt que des barres chocolatées ou des sucreries qui risquent de surcharger sa digestion et de l'empêcher de bien se concentrer.

Le déjeuner

Si le déjeuner est pris à la maison, l'avantage est évidemment que l'enfant retrouve son cadre de vie, ce qui favorise sa détente en lui permettant d'enlever ses chaussures, de se distraire avec ses jouets préférés, etc. Vous pouvez instaurer un système d'échanges entre mamans pour que les enfants déjeunent joyeusement à la maison.

Le menu du déjeuner :

– Il doit comprendre une petite entrée riche en légumes crus. Les enfants aiment beaucoup les salades au fromage, le taboulé au yaourt, la rémoulade de céleri ou les avocats, par exemple.

– En plat principal, il faut des protides, sous forme de viande, de poisson ou d'œuf, au choix de l'enfant (ne le forcez surtout pas). Tous ces aliments sont interchangeables ; vous pouvez lui donner des œufs tous les jours ou de la viande tous les jours, ou du poisson tous les jours. Il faut éviter de les préparer dans des matières grasses cuites ; servez-les accompagnés d'un légume.

– Au dessert, vous pourrez lui donner du fromage et un fruit, ou, s'il a tendance à l'embonpoint, seulement un fruit. Ce déjeuner doit donc être assez léger et peu gras pour être digeste et ne pas gêner la concentration dans l'après-midi. Il représente environ un tiers des apports caloriques de la journée.

Si le déjeuner est pris à l'école, sachez que les menus de cantine sont très étudiés diététiquement et beaucoup plus équilibrés que les repas à la maison...

La cantine fait-elle grossir les enfants? Beaucoup de mamans mettent sur le compte de la cantine une tendance à l'embonpoint. Je voudrais ramener les choses à leurs justes proportions, ce n'est pas la cantine qui est responsable du surpoids de nos petits, pour deux raisons :

– parce que les repas sont bien étudiés ;

– parce que votre enfant ne fait généralement pas plus de quatre repas principaux par semaine à la cantine, contre dix à la maison...

Mais ce que nous pouvons par contre déplorer et qui peut nuire ensuite à la concentration à l'école, c'est le climat de bruit et de violence qui règne dans beaucoup de cantines. Si votre enfant semble en effet fatigué par une atmosphère de disputes et de batailles, s'il semble être le « souffre-douleur » de l'assemblée, n'hésitez pas à parler avec la personne chargée de la surveillance de la cantine et à vous impliquer dans l'association des parents de l'école pour améliorer le cadre du déjeuner.

Le goûter

Le goûter est un élément traditionnel important pour l'enfant. Son organisation joue un rôle crucial pour sa concentration lors des devoirs du soir. L'idéal est qu'il ne dépasse pas vingt minutes, télévision éteinte. Les enfants font en général une pause trop longue au goûter, qui rend beaucoup plus pénible le travail à faire, car entre-temps la concentration s'est effondrée. On peut en effet comparer l'effort de concentration de l'écolier à celui d'un coureur cycliste. Lorsque le coureur a monté les deux tiers d'une côte (la journée d'école de votre enfant), il ne doit pas se laisser glisser jusqu'en bas pour se reposer en attendant de monter le tiers de côte restant. Il devra alors refaire tout son effort de grimpée. De même, après un goûter devant la télévision qui n'en finit plus, un jeu vidéo, votre enfant aura bien du mal à se concentrer à nouveau. Mille gronderies n'arriveront pas à obtenir un bon travail et les soirées se trouveront gâchées. Nous en reparlerons.

Il faut prendre le goûter en rentrant de l'école, selon les circonstances :

– Si vers 16 h 30 votre enfant rentre directement à la maison, fixez le moment du goûter de façon précise dès le retour et accordez-lui environ vingt minutes. Mais ne laissez pas ensuite votre enfant grignoter toute la soirée, ce qui le distrait et favorise la prise de poids tout en coupant l'appétit pour le dîner du soir.

– S'il joue au square à la sortie de l'école, donnez-lui un goûter adapté à son poids : si votre enfant a un poids harmonieux pour sa taille, des biscuits chocolatés. Si, par contre, votre enfant a une tendance à grossir, une briquette de lait et un fruit.

– Si votre enfant goûte à l'école avant l'étude, faites confiance au goûter organisé par l'administration et ne bourrez pas ses poches de gâteaux supplémentaires. S'il vous dit ne pas aimer ce qu'on lui propose, alors vous adopterez son goûter comme ci-dessus. Habituellement, le goûter représente 20 p. 100 des calories de la journée.

Le menu du goûter : il doit comporter un aliment lacté et un fruit ; éventuellement du pain et du chocolat. Si votre enfant est menu, les pâtes à tartiner sont souvent très appréciées ; s'il a des problèmes de poids, vous préférerez les laitages et les fruits.

Le dîner

Le dîner doit être particulièrement convivial. Aujourd'hui trop d'enfants dînent seuls en l'absence de leurs parents qui rentrent tard. Essayez de vous organiser pour rentrer suffisamment tôt à la maison et dîner avec lui, car comme le petit déjeuner, c'est un moment privilégié d'échanges où vous pouvez permettre à l'enfant d'exprimer ses difficultés, ses conflits, l'encourager dans ses efforts et dans ses résultats, lui transmettre vos valeurs. L'atmosphère du dîner doit être gaie et festive. N'en faites pas systématiquement un moment de remontrances, de morale, et n'exigez pas une tenue parfaite. Il faut que votre enfant soit content de vous retrouver en fin de journée et suffisamment détendu pour vous confier ses petits et gros soucis.

Le menu du dîner : il apporte 20 p. 100 des besoins nécessaires à la journée.

Selon la saison, le dîner comporte :
– un potage ou une salade composée ;
– une viande, un poisson ou des œufs ;
– des légumes cuits ou des frites ou des pâtes ;
– un fromage si les protides étaient mal représentés dans la journée (mais des études récentes montrent que nos enfants ont tendance à manger trop de protéines. N'exagérez donc pas) ;
– et un dessert, un fruit ou une compote ou, si votre enfant n'a pas tendance à grossir, un gâteau, glace ou entremets.

Le pain doit être donné en quantité raisonnable (deux tranches de pain environ).

Quels aliments favorisent la concentration ?

Votre enfant doit avoir une alimentation équilibrée.

Une fois que la ration calorique est assurée, l'équilibre entre protides, glucides et lipides, l'importance des fibres, des vitamines et du fer est aussi indispensable. Un excès de graisses et un manque de protides, un apport de lipides qui ne sont pas ceux dont le cerveau a besoin sont autant de sources de dysfonctionnement de l'attention :

– soit parce que l'estomac a un travail de digestion trop important à accomplir (repas trop riches en lipides indigestes) ;

– soit parce que le cerveau ne reçoit pas les nutriments dont ont besoin les neurones (alimentation trop pauvre en lipides insaturés et en acides aminés essentiels) ;

– soit parce que l'organisme et en particulier le cerveau sont mal oxygénés (anémie due à un manque de fer) ;

– soit parce que les éléments minéraux ne sont pas suffisants, en particulier le magnésium dont on connaît aujourd'hui l'importance pour le travail des neurones ;

– soit encore parce que l'enfant ne mange pas assez de fibres et souffre d'un transit intestinal difficile.

Autant de notions qualitatives importantes pour favoriser ses capacités de concentration.

Quelles protéines : animales ou végétales ?

Les protéines d'origine animale sont mieux utilisées par l'organisme que celles d'origine végétale. Elles apportent des chaînes d'acides aminés comportant en particulier les huit acides aminés dits essentiels, car l'organisme ne sait pas les fabriquer. Si un seul de ces acides aminés fait défaut, c'est toute la chaîne de fabrication des protéines qui se trouve bloquée. C'est pourquoi il est indispensable de donner des protéines d'origine animale aux enfants (lait, viande, poisson, œuf, jambon).

Mais ce n'est pas une raison pour sombrer dans l'excès. Car les protéines animales sont souvent associées à des graisses de mauvaise qualité (saturées). L'idéal est donc que la ration de protéines soit pour moitié d'origine animale et pour moitié d'origine végétale.

Un glucide spécifique de la concentration : le galactose

Les glucides représentent 60 p. 100 de l'apport calorique chez l'enfant. Certains glucides ont un effet spécifique favorable sur l'attention, comme le galactose qui participe à la synthèse des sucres du cerveau. Ce glucide doit obligatoirement faire partie de l'alimentation de l'enfant en plein développement. Le galactose se trouve essentiellement dans le lait, c'est pourquoi l'apport de lait n'est pas seulement justifié par le besoin en calcium. Si votre enfant n'aime pas le lait, il trouvera son galactose dans les fromages, les yaourts ; il y en a aussi dans la cervelle, ce qui explique pourquoi elle était si prisée de nos grand-mères. (Aujourd'hui les parents ont une aversion pour elle et les fabricants d'aliments pour enfants ne l'utilisent plus étant donné les maladies rencontrées chez le bétail, particulièrement la maladie de la vache folle.) L'enfant doit avoir une ration équilibrée en sucres rapides, environ 15 p. 100, et en sucres lents. Les sucres rapides sont ceux dont la digestion se fait très facilement et permet d'alimenter en permanence le cerveau en énergie. Les sucres lents ont une digestion plus progessive, une formule chimique plus complexe, on les trouve dans les céréales, le riz, les pommes de terre et le tapioca. Ils permettent de réguler l'apport d'énergie au cerveau tout au long de la matinée et de l'après-midi.

Les lipides : l'essence des neurones

Les lipides jouent un rôle essentiel dans le passage d'informations entre les neurones.

Les lipides doivent représenter 50 p. 100 de la ration calorique globale. Plus l'enfant est jeune, plus son cerveau a besoin d'acides gras poly-insaturés, dont certains ne sont pas synthétisés par l'organisme. Ceux-ci sont indispensables en particulier au bon fonctionnement des membranes des cellules qui jouent un rôle très important dans les échanges des neuromédiateurs. Ces acides gras insaturés se trouvent essentiellement dans les huiles végétales, tandis que les graisses animales ont un rôle plus calorique ; il faut donc environ 30 à 50 grammes de lipides par jour chez l'enfant, pour moitié d'origine animale et pour moitié d'origine végétale.

Les lipides font alliance avec d'autres éléments importants pour le cerveau : avec le phosphore, ils forment les phospholipides ; avec l'azote, les sphyngolipides nécessaires à la gaine des neurones ; avec les sucres, les cérébrosides, sucres du cerveau. Cette capacité de liaison est plus importante avec les acides gras insaturés des graisses végétales : huile d'olive, huile de coco, de palme ou graisses solides comme la margarine.

Plusieurs vitamines sont indispensables au fonctionnement de la cellule nerveuse

Même si le rachitisme (carence en vitamine D), le scorbut (carence en vitamine C) et le béribéri (carence en vitamine B) ont pratiquement disparu en France, il existe cependant des situations d'hypovitaminose latente et mal connues. Les vitamines qui favorisent la concentration sont :

– La vitamine A, nécessaire à une bonne vision. Elle se trouve dans le lait, le jaune d'œuf, le foie, le beurre.

– La vitamine B, indispensable à la conduction nerveuse. On en trouve essentiellement dans les céréales, c'est pourquoi les préparations de corn-flakes enrichies en vitamines introduites par les pays anglo-saxons sont favorables à la concentration.

– La vitamine B6 permet la synthèse d'un modérateur de l'activité cérébrale. Sa carence peut entraîner une ner-

133

vosité incontrôlable, jusqu'aux convulsions ! La vitamine B6 se trouve surtout dans la viande de bœuf, de lapin, de poulet, de mouton ou de veau ; dans certains poissons comme le saumon frais ou le maquereau ; dans le soja et les lentilles, les céréales (germes de blé) et dans les avocats.

– La vitamine B12 est indispensable aux globules rouges, donc à l'oxygénation du tissu nerveux. L'enfant peut en manquer s'il est soumis à un régime strictement végétarien, car la source de vitamine B12 est essentiellement d'origine animale : viande, poisson, œuf.

– La vitamine C favorise les réactions métaboliques des cellules et l'apport de vitamine C pour lutter contre la fatigue est toujours apprécié. Inutile cependant d'en apporter en excès, sous forme médicale, quand les sources alimentaires sont suffisantes car alors le trop-plein en vitamine C est simplement éliminé par les reins. La vitamine C se trouve surtout dans les agrumes, le persil, le chou de Bruxelles. Les besoins d'un enfant sont d'environ 50 milligrammes par jour et peuvent être couverts par 100 grammes de jus d'orange, à condition que celui-ci soit consommé dans les deux heures qui suivent la presse.

– La vitamine B8 ou biotine se trouve en quantité relativement importante dans le cerveau. Elle est présente dans le foie, les rognons et les jaunes d'œuf.

Les oligo-éléments

– Le magnésium joue un rôle majeur au niveau de la jonction entre les neurones et les muscles. Il atténue l'excitabilité de la fibre nerveuse. Le déficit en magnésium chez l'enfant se traduit par une fatigue, un état d'excitation, d'agitation et d'agressivité, des tics, des tremblements, parfois même des convulsions, des troubles du sommeil et des difficultés de concentration.

L'enregistrement de l'activité électrique du muscle (électromyogramme) peut mettre en évidence cet état d'hyperexcitabilité neurologique. On peut aussi soupçonner un déficit en magnésium si l'on observe un signe bien connu des médecins mais que les parents peuvent identifier eux-mêmes : le signe de Chvostek. Il s'agit d'une contraction musculaire involontaire de la lèvre supérieure. Il vous faut pour cela repérer d'abord le milieu d'une ligne joignant le lobe d'une oreille à la commissure des lèvres. Si vous percutez ce point avec deux doigts, vous pouvez entraîner une contraction involontaire des muscles de la lèvre supérieure d'autant plus vive que l'enfant manque de magnésium.

Sont particulièrement riches en magnésium : le sucre roux, le riz complet, les pommes de terre, les amandes, les bananes séchées, les bigorneaux, les germes de blé, les cacahuètes grillées, les chocolats, surtout le chocolat noir, et certaines eaux minérales.

– Le fer est indispensable à l'enfant, en particulier parce qu'il favorise la synthèse de l'hémoglobine et donc l'oxygénation du sang et du cerveau. Or les examens de santé systématiques montrent qu'environ un tiers des enfants de 4 ans sont carencés en fer. C'est dire l'importance de veiller à ce que leur alimentation en apporte suffisamment. Les aliments les plus riches en fer sont la viande, le cacao, les lentilles. Les nouveaux laits dits « de croissance » sont particulièrement indiqués même après l'âge de 3 ans si votre enfant est pâle et s'il ne mange pas beaucoup de viande.

– Le cuivre est un élément intéressant pour le cerveau. Le cas de certains enfants ayant une anomalie génétique nuisant à l'absorption du cuivre (syndrome de Menkes) démontre l'importance de cet oligo-élément car ils souffrent d'une détérioration mentale progressive. La carence en cuivre est cependant rarement patente en pratique, d'où l'intérêt d'apporter du cuivre pour un bon fonctionnement cérébral. Les aliments les plus riches en cuivre sont le foie de veau et le foie de mouton, les coquilles Saint-Jacques, les huîtres, les moules et le cacao.

En conclusion, le régime idéal qui favorisera la concentration comportera

- du lait enrichi en fer et en vitamines ;
- des céréales vitaminées ;
- 100 g de jus d'orange ou citron ou pamplemousse ;
- de la viande, du jaune d'œuf, des crustacés, accommodés avec un peu de persil ;
- des huiles végétales ;
- du chocolat.

Autant d'aliments qui sont le plus souvent appréciés de tous les enfants.

La télévision : le bouc émissaire de la déconcentration

On accuse la télévision de tous les maux : c'est le bouc émissaire de la déconcentration. Mais tout dépend comment on l'utilise, car elle peut aussi bien favoriser que défavoriser la concentration. Il est établi que la télévision aggrave les inégalités sociales, car selon la façon dont on apprend aux petits à la regarder elle les rend passifs et nuit à leur concentration, ou en fait au contraire des téléspectateurs actifs, enrichis par le petit écran.

Combien de temps nos enfants peuvent-ils regarder la télévision sans qu'elle nuise à leur concentration ?

Entre 3 et 6 ans, un enfant peut sans préjudice regarder la télévision :
– environ une demi-heure par jour en semaine ;
– une heure par jour le week-end.
Entre 6 et 11 ans :
– une heure par jour en semaine, mercredi compris ;
– cinq heures pendant le week-end, réparties sur le samedi et le dimanche.

Si vous ne fixez pas ces règles avec précision, votre petit téléspectateur risque de devenir un téléphage forcené à l'américaine : aux États-Unis, 40 p. 100 des enfants de plus de 6 ans sont encore devant la télévision entre 21 et 22 heures, 25 p. 100 entre 22 et 23 heures, 10 p. 100 entre 23 heures et minuit, sans aucun contrôle des parents. Les écoliers français sont moins consommateurs de télévision que les autres Européens. Si, dans la tranche des 10-11 ans, le temps passé devant la télévision et les jeux vidéo est de 27 p. 100 chez les petits Français, il est de 46 p. 100 chez les Anglais, 42 p. 100 chez les Allemands et 37 p. 100 chez les Espagnols.

Les meilleurs moments pour regarder la télévision

L'idéal est que l'enfant regarde un programme en fin de journée, après les devoirs du soir ; le samedi et le dimanche également en fin de journée avant le dîner, ou l'après-midi les jours de mauvais temps.

Il faut éviter la télévision pendant les moments qui nuisent le plus à son épanouissement et à sa concentration :

137

– Le petit déjeuner. Évitez d'allumer le téléviseur car ensuite vous devrez houspiller votre enfant pour qu'il s'habille et vous n'aurez plus de communication avec lui dans ce moment privilégié où tout se met en place avant de partir à l'école. Le poste ne doit donc s'allumer le matin que le dimanche, lorque vous souhaitez vous lever vous-même un peu plus tard.

– Aujourd'hui, on a tendance à l'allumer dès que l'enfant se déchausse. Cela nuit gravement à sa concentration pendant les devoirs qui suivent. L'idéal est qu'il prenne son goûter, télévision éteinte, en discutant avec l'adulte. Il peut alors exprimer ses soucis de la journée et deviser gaiement avec ses parents, ses frères et sœurs, ou la personne qui le garde. Ensuite, il faut lui proposer de faire son petit travail du jour et n'allumer la télévision qu'une fois les devoirs accomplis.

– Le soir après 20 heures. En semaine, ni l'écolier ni le collégien ne doivent avoir accès à la télévision le soir. Et même le dimanche les programmes de soirée risquent de perturber le sommeil de votre enfant. Vous aurez ensuite bien du mal à le coucher de bonne heure les veilles d'école. Je vous conseille donc d'éviter de le laisser regarder la télévision le soir sauf, exceptionnellement, le samedi jusqu'à 22 heures pour une soirée familiale devant une émission permettant la convivialité.

Le « zapping », école de la déconcentration ?

Il y a différentes manières de regarder la télévision. Selon l'universitaire François Mariet, un enfant utilise la télé de trois façons :

– La « télé passion » : l'enfant a choisi le programme et il le regarde d'un bout à l'autre avec intérêt.

– La « télé tapisserie ». L'enfant joue et s'occupe sans vraiment regarder la télévision. Il tourne seulement la tête lorsque les sons et les paroles attirent son attention. C'est souvent ce qui se produit lorsqu'il a l'habitude d'allumer systématiquement la télévision en rentrant à la maison pour prendre son goûter puis faire ses devoirs, poste allumé. Cela l'empêche de se concentrer car il n'est alors complètement attentif ni aux devoirs, ni à la télévision, et nous avons vu combien le jeune enfant immature a des difficultés à filtrer les éléments de distraction. Donc, quoi qu'il dise, ce n'est pas ainsi qu'il peut se concentrer et vous devez absolument éviter cet usage de « télé tapisserie ».

– La « télé bouche-trou » est celle que l'enfant regarde parce qu'il s'ennuie. Elle a l'inconvénient de ne pas l'habituer à utiliser la télévision comme un moment choisi et à le laisser regarder des émissions rapides, hachées, qui aggravent les difficultés de concentration des enfants d'aujourd'hui.

Comment aider les « rois de la télécommande » à se concentrer ?

Nos enfants étant les rois de la télécommande, les programmes de télévision ont évolué avec l'habitude du zapping. Les chaînes diffusent des films de plus en plus rapides de sorte que l'attention soit accaparée par la vitesse de défilement des images et la vitesse de changement des sujets. Il y a très peu de pauses de réflexion. En allant ainsi dans le sens du déficit de concentration, on l'entretient, on le cultive et on l'exacerbe.

Pour apprendre à votre enfant à ne pas tomber dans ce piège, lisez avec lui le programme de la semaine, et sélectionnez ensemble les émissions intéressantes. Si elles ne se présentent pas aux horaires favorables que nous avons vus plus haut, l'idéal est de les enregistrer. Bien sûr cette discipline est difficile à suivre dans une famille où les parents travaillent. Merci aux grand-mères qui se donnent du mal pour enregistrer et sélectionner des émissions intéressantes pour leurs petits-enfants.

Le zapping est bien une école de déconcentration. Si vous changez vous-mêmes de programme trop souvent, votre enfant ne peut pas fixer son attention. Beaucoup d'émissions ou de films sont construits sur le principe du zapping pour capter à tout prix l'attention des jeunes spectateurs ; leurs auteurs imposent une cadence infernale à l'action. À long terme, cette succession permanente d'événements risque de faire désirer la même chose à l'enfant dans la vie quotidienne, et de le rendre impatient et impulsif. Si vous le laissez regarder l'écran tardivement, longtemps, sans choix précis, la télévision l'empêchera de pratiquer d'autres activités plus stimulantes et l'habituera à ne pas se concentrer. Dans ce sens, la télévision est un facteur d'abêtissement. Lorsque les enfants sont laissés seuls devant le poste, la télévision perturbe leurs capacités de concentration et appauvrit leur réflexion.

Soyez donc vigilants sur la violence des émissions vues dans la journée, car il est certain que, lorsque la dimension affective est trop puissante, la concentration de l'enfant est gênée le lendemain. Trop d'images parasitent sa mémoire pour que son cerveau soit disponible aux apprentissages de l'école. D'autre part lorsqu'il est habitué à une télévision fébrile, violente, suractive, il est évident que les apprentissages scolaires lui paraissent ennuyeux. Les statistiques l'ont vérifié, les meilleurs écoliers sont ceux qui regardaient le moins la télévision.

Quand la télé concentre...

À l'inverse, la télévision peut être un facteur d'instruction et de concentration. Si votre enfant ne regarde que ce que vous avez choisi ensemble, si vous partagez ce moment de détente, si chacun écoute les commentaires de l'autre et si vous prolongez parfois l'émission par une lecture, la télévision devient enrichissante pour la pensée. Si les émissions sont choisies et regardées avec des parents disponibles, elles sont une source de réflexion et d'enrichissement intellectuel. Elles favorisent alors la concentration. L'enfant qui est habitué à partager la réception du film ou de l'émission de divertissement avec ses parents se concentre beaucoup plus que le spectateur solitaire.

Ainsi, chaque fois que cela vous est possible, regardez les émissions avec lui, commentez-les, prolongez-les éventuellement par une sortie ou une discussion en famille. La télévision est alors pour votre enfant une ouverture sur des mondes qu'il ne connaît pas et lui donne déjà l'occasion de comparer, de se poser des questions. Il apprend à en tirer des informations et non pas à la subir passivement. Cet usage de la télévision exige de votre part un peu de vigilance, une disponibilité certaine, mais ses conséquences seront positives sur les facultés de concentration. Et lorsque votre enfant échappera à votre autorité, ces habitudes intelligentes d'utilisation influenceront son comportement et l'aideront à rester un spectateur actif, sachant tirer le meilleur profit et le plus grand plaisir de cet outil. Armé d'une télécommande, il peut inventer lui-même son rythme : accélérer ou ralentir, zapper, passer et repasser ses scènes préférées. La télévision peut ainsi devenir l'instrument qui exerce la concentration. À partir du moment où, comme lorsqu'il lit un livre, l'enfant peut commencer à regarder où bon lui semble, s'arrêter comme il veut et revoir à son rythme personnel l'enregistrement d'une émission, cette télévision à la carte lui permet une consommation spécifique adaptée à sa curiosité. Et si vous, les parents, partagez la séance et lui montrez l'intérêt de telle ou telle séquence d'un documentaire ou soulignez le sens de telle scène d'un film, vous exercerez sa concentration aussi bien avec la télévision qu'avec un livre. L'idéal est d'être un spectateur apte à utiliser le téléviseur intelligemment.

Aussi n'est-il pas question, dans l'éducation actuelle, de supprimer complètement le poste de télévision de la maison, car l'enfant a besoin de vivre avec son époque et d'avoir des références par rapport à ses amis. La télévision est une fenêtre ouverte sur le monde extérieur, mais faut-il encore ouvrir la fenêtre ensemble et partager le spectacle pour l'habituer à se concentrer.

Ordinateur et jeux vidéo : le meilleur et le pire

L'ordinateur favorise la concentration de votre enfant

L'ordinateur, prolongement de nos neurones

L'ordinateur fait encore peur à nombre de parents et à la plupart des enseignants, et bien peu d'enfants sont autorisés, au collège, à remettre une composition française sortie de leur imprimante. Mais il est urgent de comprendre que l'ordinateur représente une véritable prolongation du système nerveux. Il permet à l'enfant d'exprimer plus vite sa pensée, de la visualiser et de se concentrer sur elle. C'est pourquoi je pense que tous les écoliers, dès l'âge de 4 ans, devraient avoir accès à l'ordinateur domestique et à son imprimante. Comme l'a bien montré Jean-Charles Cohen (*Les Jeunes Enfants, la découverte de l'écrit et l'ordinateur*, PUF), l'enfant a besoin d'un instrument stimulant lui permettant d'explorer, ou de découvrir et de se construire personnellement pour que son travail devienne un moyen de communication, d'expression et de réalisation des projets personnels. Cet environnement est favorisé par l'ordinateur. Il permet l'interactivité avec l'enfant. Celui-ci observe les effets de son action sur l'écran et peut en suivre les changements. Il peut intervenir pour en provoquer d'autres. Devant une erreur, il est encouragé à chercher d'autres issues, à expérimenter d'autres voies et ses succès sont soulignés. Nous le voyons alors faire preuve d'imagination jusqu'à trouver la solution le plus souvent sans l'aide de l'adulte. La multiplicité d'expériences permise par l'ordinateur respecte les rythmes de chacun.

Comment l'ordinateur peut stimuler la concentration

L'ordinateur offre donc à l'enfant des conditions particulièrement favorables à la concentration :
– une situation d'interactivité ;
– une maîtrise facile permettant d'observer immédiatement et de visualiser les effets de son action ;
– un retour encourageant, ce qu'on appelle le « feedback positif » ;
– un tâtonnement exploratoire ;
– une autocorrection et une utilisation privilégiée de l'erreur ;
– une multiplicité d'expériences ;
– un cheminement individuel ou par travail en groupes.

Comme l'a démontré l'équipe de La Mayotte (centre de rééducation médico-pédagogique), « l'ordinateur est une aide bénéfique dans la mesure où les enfants parviennent à se concentrer très longtemps sur leur activité alors qu'ils se montrent habituellement instables, incapables d'un effort long et régulier ».

L'ordinateur n'est pas une récompense, il est un outil indispensable

L'ordinateur va transformer les pratiques éducatives et notre ambition doit être que toutes les salles d'étude des écoles en soient équipées, avec des logiciels pédagogiques adaptés aux enfants. Déjà, de plus en plus de parents acquièrent ces programmes.

Voici mes conseils, si vous décidez de vous équiper :

– Acquérir un logiciel qui soit parfaitement adapté au niveau de votre enfant.

– Partager l'usage du logiciel. Le logiciel est comme un livre : un outil pédagogique, qui ne remplace pas le pédagogue. Sur un plan pratique, ayez toujours un stylo et des feuilles de papier à côté de l'ordinateur, de façon à permettre à l'enfant d'écrire ses réflexions lorsque l'exercice lui échappe.

– Ne pas transformer les séances de travail sur ordinateur en corvée.

– Favorisez la rédaction des devoirs sur l'ordinateur en traitement de texte.

L'ordinateur fait souvent peur aux parents

Vous l'avez bien compris, il ne s'agit pas de programmer, d'utiliser la machine comme un informaticien ; mais de connaître les quelques codes et fonctions qui permettent d'utiliser un logiciel pédagogique. Votre enfant s'initie tout seul et vous initiera rapidement. L'ordinateur est en effet un outil naturel pour les tout-petits. C'est un prolongement de son cerveau, il en intègre facilement le fonctionnement car il le reconnaît comme sien.

Il n'est pas question de prétendre que l'ordinateur puisse résoudre tous les problèmes et de créer un nouvel

144

« enfant informaticus ». L'ordinateur n'est qu'un outil supplémentaire qui favorise la concentration à condition que, comme le livre, comme la télévision, l'adulte soit présent et partage avec lui ses découvertes.

Les jeux vidéo, une concentration à double tranchant

Bien sûr, quand on dit ordinateur on n'est pas loin du jeu vidéo. Quatre logiciels vendus sur cinq sont des jeux vidéo. Car la console est un copain toujours disponible.

Avec les jeux sur CD-Rom, l'enfant a vite fait de détourner l'usage de l'ordinateur, ce que redoutent beaucoup de mamans, car la plupart des jeux vidéo leur paraissent violents et sans grand intérêt. Mais pourquoi nos enfants, si distraits devant leur travail, se concentrent-ils si bien sur leurs manettes ?

Un harcèlement des neurones

Pourquoi, en effet, l'enfant habituellement déconcentré maintient-il facilement sa concentration sur le jeu électronique ? Chacun a constaté combien le même, qui a du mal à se concentrer en classe, est capable de rester devant sa console indéfiniment.

Tous les ingrédients sont réunis dans le jeu vidéo pour « accrocher » la concentration de l'enfant d'une façon que l'on pourrait qualifier d'anormale :

– Les déplacements de la cible sont extrêmement rapides et obligent à une grande vitesse d'interaction.

– Le thème du jeu vidéo est généralement le combat. Même pour les jeux apparemment les plus pacifiques : football, course de voitures, la compétition est de mise, ce qui exacerbe la concentration de l'enfant.

– La plupart des jeux vidéo de première génération poussaient davantage à la solitude qu'à la compagnie.

145

– Le jeu vidéo fait presque toujours appel à la violence (c'est pourquoi il est assez peu prisé des filles). Certains défendent les jeux vidéo en disant que, justement, ils exercent la concentration dans la mesure où ils obligent l'enfant à utiliser au mieux sa vision et ses gestes pour effectuer rapidement le meilleur mouvement, en adoptant la meilleure stratégie. Certes, mais à haute dose, c'est une concentration « négative »; elle consomme de l'énergie au détriment de la concentration positive, celle qui vous pousse à comprendre, à créer. L'aspect répétitif des stratégies et des mouvements constitue plus un harcèlement des neurones qu'un véritable exercice de concentration, et l'état second dans lequel est l'enfant après être resté une heure devant sa console ne le rend pas réceptif à son environnement.

Certains jeux vidéo, écoles de la violence

L'enfant est une boule d'énergie, négative comme positive, et toute l'éducation consiste à lui apprendre à canaliser cette énergie vers des actions positives. Réussir une construction en Lego plutôt que la casser, découper plutôt que déchirer, colorier sans dépasser, dire « bonjour » plutôt que « caca-boudin », se laver plutôt qu'être sale, tel est le travail quotidien des parents pour construire un être abouti qui soit une personne intégrée dans la société, ayant le goût de créer et de rendre des services aux autres, au lieu de détruire et de se battre.

Trop de jeux vidéo font appel à la violence et aux mauvaises pulsions de l'enfant, au premier degré, sans lui offrir de solution. Cette utilisation, que je dirais commerciale, de la violence est de plus en plus grande et nous voyons apparaître les jeux vidéo « gore », c'est-à-dire sanglants. « Elle cause pas, elle flingue. À tout va. » Voilà le message de Lara Croft, la tueuse virtuelle de Tomb Raider. Dans certaines créations, l'enfant peut même régler la quantité de sang qui gicle des ennemis qu'il a tués ; il peut aussi, grâce à un appareil photo incorporé, devenir lui-même visuellement le héros-tueur. Autant d'excitations qui nuiront ensuite énormément à sa concentration. Il est en effet totalement accaparé par l'interpellation fantasmatique de ses pulsions. Les parents me disent combien l'enfant pris dans le jeu vidéo a l'expression hagarde, les mouvements de son corps suivent les mouvements de sa mitraillette ou de sa voiture ; il est entré dans ce monde virtuel, il n'a plus réellement conscience de la réalité. Lorsqu'il y revient, il lui faudra un temps d'autant plus long qu'il aura joué plus longtemps et que le jeu aura été plus violent, pour récupérer ses capacités de concentration positive indispensables aux acquisitions normales de la vie.

S'il y avait un syndicat des mamans, les jeux électroniques seraient contrôlés et porteraient des sigles plus explicites. Dans le futur, nous devons souhaiter qu'il y ait un Code de déontologie des fabricants de jeux vidéo et que ceux-ci aient un contenu bien défini, visible sur la pochette, avec des logos permettant aux parents de repérer les jeux selon le degré de violence.

Je ne saurais donc trop vous mettre en garde contre le laxisme régnant autour de ces jeux. Cette façon de se débarrasser des enfants compromet gravement leur réussite scolaire. Bien sûr, vos petits trépignent pour que vous leur offriez la console de leurs rêves et vous ne pourrez pas longtemps échapper à la pression sociale, mais vous pouvez d'emblée installer certains garde-fous.

Les jeux vidéo stimulent la concentration visuelle et dans l'espace

Lorsque votre enfant prend ses manettes, son joy-stick ou sa souris, il exerce fortement sa concentration visuelle. Quand, avec le successeur de Super Mario, il traverse des laves souterraines, des « cavernes de la mort », lorsque les aventures de Lara Croft l'entraînent dans des cités englouties, des labyrinthes grecs ou de vieux temples mayas, il exprime sa virtuosité à se déplacer dans l'espace, les yeux fixés sur l'écran.

Mais l'exercice ne doit pas être prolongé abusivement car c'est une concentration qui ne passe pas par les circuits du langage. Elle n'est pas adaptée aux apprentissages culturels ni aux relations sociales, amicales et familiales.

Mes règles pour une saine utilisation des jeux vidéo

— Posez un sablier à côté de la console et fixez la durée de la séance à une demi-heure.

— Ce temps doit venir en remplacement du temps de télévision : « Ou tu regardes la télé, ou tu joues devant ta console » (voir p. 139, le temps de télévision autorisé selon l'âge).

— Apprenez à votre enfant à éteindre le jeu, même s'il se sent captivé.

— Expliquez-lui qu'il s'agit d'une exacerbation de ses mécanismes mentaux étudiée pour qu'il n'ait pas envie d'arrêter ; et demandez-lui d'être « plus fort que Super Mario »... en sachant tourner le bouton.

— Faites vous-même une sélection des jeux vidéo et regardez-les avant de laisser votre petit s'en amuser.

Bien sûr, les enfants s'échangent les jeux et se retrouvent chez les uns et les autres autour de la console ; vous ne pourrez pas tout contrôler. De même, lorsque vous mettez à sa disposition l'ordinateur domestique, vous pouvez le croire en train de travailler alors qu'il a installé un programme de jeu... Mais, plus vous formerez votre enfant à choisir son logiciel de façon éclairée, plus vous attendrez pour laisser la liberté du choix et du temps passé, mieux vous contrôlerez le phénomène au moins à la maison, et moins votre enfant en sera passivement dépendant.

Il n'est pas question d'interdire le jeu vidéo

Le jeu vidéo est un véritable code social pour nos enfants aujourd'hui. Il ne s'agit donc pas d'interdire mais seulement de définir les règles : sélection des programmes, limitation des temps d'utilisation, choix de jeux dont la violence est minimale, substitution au temps de télévision.

Les devoirs

Les devoirs du soir sont une excellente occasion d'exercer la concentration. Pourtant, ils sont l'objet de nombreuses frictions entre les parents et les enfants car ceux-ci renâclent souvent à les faire et les parents, bousculés par un rythme de vie difficile, ont tendance à s'énerver.

Voici néanmoins quelques éléments qui favoriseront la concentration de votre enfant pendant son travail.

Est-il justifié de donner des devoirs ?

Nous le savons, les devoirs écrits sont censés être interdits dans le primaire, mais cette règle n'est pas respectée et, il faut bien le dire, le plus souvent à la demande des parents. Car vous avez l'impression, et je la partage, de mieux surveiller le niveau de votre enfant lorsque vous le voyez faire ses devoirs et pouvez corriger quelques lacunes de compréhension que n'aurait pas vues l'enseignant. Il est donc en effet difficile de renoncer à ces exercices, mais ils ne doivent pas occuper votre enfant plus que ne le permet sa durée de concentration, c'est-à-dire une demi-heure en CP et en CE1 ; trois quarts d'heure en CM1 et en CM2.

Si votre enfant a besoin de plus de temps pour faire ses devoirs,

– soit il a des lacunes trop importantes sur le plan de la compréhension,

– soit vous avez choisi un mauvais moment ou un mauvais cadre pour sa concentration. Il faut alors reconsidérer l'ensemble : son alimentation (voir p. 126), la télévision (voir p. 138), le cadre physique (voir p. 155) et psychologique (voir p. 161 dans lequel il fait son travail.

Le meilleur moment pour faire les devoirs

Il est faux de penser que les journées de classe des petits Français étant très chargées, il faut les laisser souffler longuement avant de commencer les devoirs du soir. Car la concentration se relâche si l'arrêt des activités mentales est trop prolongé. Donc, rentrer de l'école pour prendre un goûter qui n'en finit plus devant la télévision gênera l'enfant pour retrouver ensuite une concentration suffisante.

Si votre enfant veut encore profiter de la journée pour des activités à l'extérieur, fixez-lui un emploi du temps défini pour les devoirs en fonction des journées d'école. Il profitera beaucoup plus des activités du jardin le mardi après l'école, le mercredi après-midi, le vendredi après-midi, le samedi et le dimanche lorsqu'il n'y a pas de travail pour le lendemain, que les jours où les devoirs scolaires sont à faire.

Doit-il faire son travail tout seul ?

« Votre enfant doit être autonome », nous disent souvent les enseignants. Les enfants peuvent-ils faire leurs devoirs tout seuls, sans participation parentale ? Je dois dire que c'est de plus en plus rare. Les enseignants ont tendance à conseiller aux parents de laisser leurs enfants gérer leur travail. Je leur opposerai pour ma part deux arguments qui vont dans le sens d'une aide parentale accrue.

Je ne sais pas si les enseignants se rendent bien compte de l'énorme participation parentale actuelle et de l'inégalité infligée aux enfants qui n'ont pas la chance d'avoir des parents mobilisés. Les statistiques montrent combien les enfants d'enseignants et d'intellectuels réussissent mieux que ceux qui ne bénéficient pas d'un encadrement familial actif. Elles révèlent bien l'importance du soutien scolaire que vous apportez à votre enfant. Donc, autant il faut éviter le matraquage abêtissant et décourageant pour l'enfant, autant il faut participer à sa soif de connaissance et le soutenir dans ses efforts. Une désimplication parentale totale est rarement couronnée de succès. Je constate en pratique qu'à peu près un enfant sur cent réussit sans aide familiale aujourd'hui. Il faut dire, à la décharge des enseignants, que les classes sont surchargées, que les niveaux des élèves sont tout à fait hétérogènes, que les enfants sont souvent agités, créant de nombreuses perturbations. Il est donc normal que les enseignants ne puissent pas combler personnellement les lacunes de chaque élève, mais il est normal aussi que l'aide des parents soit indispensable.

Les institutrices ne savent pas quels enfants sont aidés et lesquels ne le sont pas. Elles pensent souvent que le premier de la classe est brillant spontanément alors qu'il est bien soutenu par sa famille. Car, il faut le dire, les exposés, leçons et devoirs sont généralement trop complexes pour être faits par un enfant seul. Mais les parents ne se vantent pas d'aider leur écolier. Aussi ceux qui bénéficient de ce soutien sont favorisés tandis que votre enfant, si vous le laissez travailler seul, sera vite désavantagé. Il aura une image négative de lui-même, ce qui ne peut pas favoriser sa concentration !

Les maîtres reconnaissent eux-mêmes que les classes surchargées et les inégalités de niveau ne leur permettent pas un suivi personnalisé. Pourquoi alors refuser que les parents expliquent une petite règle de grammaire incomprise ? Pour savoir où sont les lacunes de votre enfant, une seule solution : suivre son travail, le vérifier. S'il a des facilités, s'il aime faire son travail tout seul, vous lui demanderez néanmoins de vous le montrer aussitôt fait, de façon à vérifier ses connaissances ; selon l'adage : un travail n'est fait que lorsqu'il est réellement compris. Si votre enfant a des difficultés de concentration il faudra rester calmement assis à côté de lui pendant le temps que lui prennent ses devoirs. Votre présence l'aidera à rester fixé sur son travail, à condition que vous vous exprimiez positivement.

Normalement, le cahier du jour doit vous être remis en fin de semaine, ce qui vous permet de vérifier ses forces et ses faiblesses. Ouvrez donc le cartable, et plutôt au retour de classe que le soir lorsque sa concentration est au plus bas.

Les leçons expliquées, les devoirs contrôlés favorisent la concentration. En effet, si vous laissez votre enfant fermer ses cahiers sur un travail à moitié fait, à moitié compris, vous lui donnerez l'habitude de flâner sur les idées et non de se concentrer pour les comprendre. Mais si vous partagez avec lui la découverte de la civilisation égyptienne, si vous profitez du dimanche suivant pour faire une promenade au Louvre, ou bien pour regarder ensemble un CD-Rom sur l'Égypte, ou même si vous lui achetez – pourquoi pas ? – *Astérix et Cléopâtre*, vous aurez donné du sens à son travail.

Exercer sa concentration est le contraire du « bourrage de crâne »

Il n'est pas question de faire travailler votre enfant trop longtemps, en vous fâchant, à l'heure tardive où vous rentrez vous-même épuisé du travail.

Il faut avoir à l'avance organisé la séance de devoirs après le retour de l'école, puis que votre enfant ait pu jouer et se détendre. Lorsque vous arrivez, il n'y a plus alors qu'à contrôler, expliquer un détail, faire réciter une poésie. S'il a de réelles difficultés à faire son travail en votre absence, sans doute lui faut-il une aide complémentaire. Mais je dois insister pour dire que la pression d'un parent surmené, impatient, angoissé, ayant tendance à demander à son enfant plus qu'il ne peut faire vu son âge, risque au contraire d'inhiber sa concentration. Si vous vous sentez trop anxieux, n'hésitez pas à déléguer la responsabilité à une personne plus neutre, grand-mère ou étudiante.

De toute façon, gardez pour les moments de forte concentration les règles qui demandent une explication longue : ce peut être l'objet de révisions le samedi ou le mercredi matin. Il faut éviter les soirées prolongées, le travail ne se fixant pas dans une petite tête ensommeillée incapable de la moindre attention...

Son cadre de vie

Je voudrais insister ici sur le fait que la concentration s'éduque : plus tôt vous aurez habitué votre enfant à se concentrer, plus vous aurez organisé des conditions de vie favorisant sa capacité d'attention, plus il les recherchera de lui-même ultérieurement.

Votre enfant doit travailler au calme

Il faut en effet éliminer les éléments de distraction de son environnement. Ils perturbent la résolution de l'énigme que représente un exercice difficile. Bien que l'enfant possède une capacité reconnue à s'isoler et à vivre dans un monde à lui, il se montre vulnérable et très influençable par les perturbations extérieures quand il s'agit de déchiffrer une page de lecture ou de faire ses exercices.

Prenons l'exemple de la lecture. Le travail de lecture demande une confirmation répétée et continuelle du fil conducteur de l'histoire. La concentration permet que tous les éléments de la lecture mobilisent l'énergie psychologique vers la production de sens. Mais il faut que les conditions dans lesquelles se déroule l'exercice se prêtent à cette concentration, car la lecture d'un texte est un problème compliqué pour l'enfant.

Dans ses phases d'apprentissage, il doit donc résoudre des énigmes complexes et les éléments extérieurs peuvent gêner sa concentration. L'idéal pendant les premières années du primaire est que vous restiez près de lui, à la même table, lorsqu'il a des difficultés de concentration, ou en tout cas pas loin dans la maison lorsqu'il arrive à se concentrer facilement. Il faut éviter que des frères et sœurs ne s'agitent autour de l'enfant qui travaille et il faut absolument bannir l'habitude de travailler en écoutant de la musique et en regardant la télévision. Vous minimiserez ainsi les stimuli externes qui perturbent la concentration.

Dans quelle pièce de la maison fait-il ses devoirs ?

L'organisation du cadre de vie de votre enfant joue sur sa concentration. Il faut lui permettre de s'installer dans une pièce calme et tranquille pour faire son travail. Un enfant qui n'a pas de pièce à lui, qui fait ses devoirs sur le coin de table de la cuisine ou au salon devant la télévision regardée par les parents ou par les autres enfants, a beaucoup plus de mal à se concentrer que celui qui a une chambre avec un bureau bien disposé, dans laquelle il peut s'isoler.

Il est cependant bien difficile dans le monde d'aujourd'hui d'avoir une chambre pour chaque enfant. Mais vous pouvez essayer d'aménager un coin calme à l'écolier qui a des devoirs à faire. Si le petit frère est occupé à regarder la télévision ou à jouer dans le salon, vous donnerez à l'enfant qui travaille un petit bureau dans votre chambre, dont on pourra fermer la porte. Mieux vaut aussi la table de cuisine où l'enfant sera tranquille qu'un bureau partagé avec un autre enfant bruyant.

Vous regrouperez à sa disposition les instruments de son travail. Il doit avoir un bon éclairage, du papier brouillon, des crayons, son cahier de textes et les livres qui conviennent.

Le rôle déconcertant de la musique

Une fois l'enfant installé à son bureau, vous vérifierez que le silence règne : vous éviterez de téléphoner dans la même pièce, pas de radio, pas de musique. L'effet de la musique sur la concentration et la mémorisation a été mesuré : les enfants retiennent mieux ce qu'ils apprennent lorsqu'ils travaillent sans bruits distractifs.

La musique empêche de se concentrer, et encore plus les chansons dans sa langue maternelle que celles en langue étrangère. Car la mémoire « lexicale » travaille mal en « multitâches ». Tout en faisant l'effort d'apprendre, l'enfant essaie de décrypter le sens. Cette perte de concentration entraîne une baisse d'efficacité de 40 p. 100. Mieux vaut donc que votre enfant travaille moins longtemps mais ne fasse que ça, télé et musique éteintes.

Laissez-lui du temps pour rêver !

L'aménagement des activités extrascolaires est également important et influe positivement sur la concentration des enfants. On a remarqué que, lorsque des élèves participent à des activités hors école bien aménagées, leur niveau général d'attention s'élève par rapport à celui de classes n'ayant pas d'organisation des activités extrascolaires. On peut donc en déduire que l'aménagement du temps scolaire devrait être conçu en tenant mieux compte des périodes de concentration sur la journée et sur la semaine (voir p. 27) et en développant les structures de relais pour le temps libre. Mais évitez de multiplier les activités et les rendez-vous (piano-tennis-dentiste-catéchisme...). Si vous lui faites un agenda de ministre, vous en viendrez forcément à le houspiller. Il n'aura pas ensuite la tête à se concentrer.

Son sommeil

Le manque de sommeil perturbe la concentration

L'enfant qui n'a pas assez dormi ne peut accomplir que des tâches automatiques. Il est agressif, irritable, ne supporte pas la moindre frustration. Si le manque de sommeil s'étale sur plusieurs nuits, dès le troisième jour, il peut avoir de véritables hallucinations et se mettre à délirer. C'est dire l'importance du sommeil pour le cerveau.

On a pu croire à une époque qu'il était possible d'apprendre en dormant, sans effort, par exemple en passant la nuit avec des écouteurs. Cela ne marche pas, car la concentration est indispensable pour fixer les informations.

Le sommeil de rêves, sommeil de la concentration ?

La nuit de l'enfant est traversée par des cycles alternant deux phases de sommeil qui jouent un rôle complémentaire dans le développement mental.

– Selon certains, le sommeil profond aurait un rôle dans la mémorisation des faits rationnels logiques, ceux de notre cerveau gauche. En quelque sorte le sommeil profond est celui du raisonnement. Il entretiendrait le mental rationnel.

– Le sommeil paradoxal serait au contraire le sommeil de l'émotion. Il servirait à la mise en place et au développement des circuits nerveux, donc à la maturation cérébrale ; il régulerait ce qui est du domaine émotionnel, affectif, sensible, artistique, tout ce qui dépend plutôt de notre cerveau droit. C'est le sommeil des rêves, son travail étant de favoriser la gestion des émotions. Le rêve crée des artifices pour déguiser les désirs et les rendre acceptables pour la conscience. L'enfant qui a bien rêvé sera plus apte à se concentrer le lendemain. Le sommeil paradoxal est donc indispensable à la concentration. Or il est gravement perturbé par l'administration de somnifères. C'est pourquoi il ne faut pas rechercher dans « le sirop pour dormir » un atout favorisant le travail du lendemain.

157

Les besoins de sommeil de votre enfant

La durée moyenne de sommeil de votre enfant par vingt-quatre heures est de :

Entre 3 et 4 ans, douze heures (onze heures la nuit, une heure le jour).

Entre 4 et 5 ans, onze heures et demie la nuit.

Entre 5 et 6 ans, onze heures la nuit.

Entre 6 et 11 ans, dix à onze heures la nuit.

Mais elle peut varier d'un enfant à l'autre. Pour connaître les besoins spécifiques du vôtre, notez l'heure de son réveil spontané le matin pendant les vacances : en calculant combien de temps il a dormi, vous connaîtrez la durée idéale de son sommeil. C'est à partir de cette donnée que vous saurez à quelle heure il doit se coucher : s'il a besoin de dix heures de sommeil et se lève à 7 h 30 pour aller à l'école, il doit être endormi à 21 h 30, ce qui suppose un coucher à 21 heures, de façon à avoir une demi-heure pour se détendre. S'il rate un cycle de sommeil en se couchant tard, il ne le récupérera pas.

Ne tombez pas dans le culte du sommeil!

Mais n'embêtez pas votre enfant en lui imposant un temps de sommeil trop long, et surtout ne lui donnez pas de somnifères. Certains enfants n'ont besoin que de sept à huit heures de sommeil. L'essentiel est qu'ils se réveillent facilement le matin.

Par contre, faites en sorte que votre enfant reste au calme dans sa chambre le soir, après une demi-heure d'observance de ses rites de coucher : une histoire (racontée pour lui tout seul, pour favoriser sa concentration, là encore, et les confidences), un câlin, un verre de lait. Mais il ne doit pas lutter contre le sommeil en regardant par exemple un programme de télévision excitant;

de plus il doit respecter votre besoin d'intimité conjugale. L'apaisement qui survient quand il est seul dans sa chambre favorisera l'endormissement et l'installation des cycles du sommeil. Cette période de calme permettra donc une concentration plus facile le lendemain.

L'atmosphère psychologique

La concentration est facilitée par une jubilation partagée entre le parent et l'enfant. Lorsque la découverte par votre enfant du sens de sa lecture, lorsque la compréhension d'un exercice et sa bonne exécution suscitent une réponse enthousiaste de votre part, votre enfant se sent soutenu dans ses progrès.

Une formule à bannir : « Concentre-toi ! »

« Concentre-toi ! » Mais comment ? L'enfant voudrait bien, mais ne comprend pas comment il peut de façon magique mobiliser ses ressources psychiques pour se concentrer sur son travail. Nous les adultes croyons qu'il suffirait à l'enfant de décider de se concentrer sur la tâche demandée pour bien faire, comme si une certaine énergie pouvait imprégner toutes les aptitudes et catalyser le travail à accomplir. Ce modèle de l'attention voit les choses du point de vue de l'adulte. Chez l'enfant, l'injonction « concentre-toi » ne veut malheureusement pas dire grand-chose. C'est un ordre particulièrement vide de sens pour l'écolier qui ne sait pas comment il doit procéder. Car en fait, à quoi l'enfant devrait-il accorder son attention ? À ce qu'il voit ? Ou à ce qu'il pense ? Ou aux deux à la fois ? Cette injonction inhibe les capacités d'initiative de l'enfant et ses possibilités d'anticiper. Il n'y a donc pas un concept de concentration miracle. Il faut préciser avec l'enfant, pour chaque apprentissage, la manière la plus profitable pour lui de résoudre les difficultés qui se présentent. Lorsque pointe le découragement, et lorsqu'il se déconcentre, il faut se pencher sur le détail de son comportement et essayer de comprendre ce qui l'empêche de fixer son attention sur le travail ou sur l'activité proposée.

Ne déconcentrez pas votre enfant !

La concentration est favorisée par une attitude cohérente des parents. Or, écartelés entre la pression des enseignants, leurs inquiétudes pour la réussite de leurs enfants, leur fatigue professionnelle et les difficultés pédagogiques propres aux matières enseignées, bien des parents ont par moments des attitudes ayant des effets redoutables sur la concentration de leur enfant.

Sachez donc que :

– si vous dépassez la durée de possibilité de concentration de votre enfant pour son âge (voir p. 27),

– si vous lui posez des problèmes insolubles par rapport aux connaissances qu'il a déjà acquises,

– si vous dévalorisez votre enfant, en doutant de ses capacités intellectuelles,

– si vous lui inspirez de la crainte,

– si vous n'organisez pas son environnement de telle sorte que les moments de concentration soient protégés,

– si vous ne tenez pas compte de sa maturité intellectuelle et en particulier de son âge par rapport au concept que vous voulez lui faire comprendre,

vous créez autant de conditions nuisibles pour ses capacités de concentration.

Votre enfant se concentrera d'autant mieux que vous l'encouragerez. Les paroles négatives gênent énormément la concentration. Il faut donc éviter de dire : « Tu es vraiment nul ! » ou « Décidément, tu ne comprends rien ! ».

Le pire, bien sûr, est de crier, voire de donner des gifles, ce qui n'a jamais aidé à apprendre les tables de multiplication ou les règles de grammaire. Le stress est néfaste pour l'apprentissage. Les hormones du stress produites par les glandes surrénales interfèrent avec les mécanismes biologiques nécessaires à la concentration.

Si vous avez tendance à vous énerver trop facilement ou si vous n'êtes pas disponible pour assister votre enfant dans son travail, il est préférable de déléguer. Vous pouvez alors demander à l'école des cours de soutien, ou inscrire l'enfant à l'étude. Si vous savez que l'école propose une étude calme, avec un professeur concerné par la réussite de votre enfant, cela peut être une bonne idée. Mais je dois dire que l'étude est souvent un lieu où il est difficile de se concentrer, du fait du nombre d'enfants, du bruit, etc.

Voici vos attitudes qui favorisent sa concentration

Favorisez sa motivation. Elle peut être créée par le besoin, le désir, l'intérêt ou tout simplement par la curiosité, qui conditionnent en grande partie la concentration. En effet, l'enfant se concentre plus facilement sur ce qui l'intéresse.

N'obligez pas votre enfant à être « totalement concentré ». C'est impossible. Vous-même, quand vous lisez, gardez toujours une part de recul par rapport à l'histoire lue. C'est ce qui fait la différence entre la symbolique de l'histoire qui est perçue par le lecteur et l'hallucination complète.

Précisez à votre enfant ce que vous attendez de lui lors d'un exercice demandé. Quand vous lui dites de lire à voix haute, quel est votre rôle ? S'agit-il de l'écouter pour vérifier que le travail est effectué ? Ou de l'écouter pour vérifier que la lecture est comprise et éventuellement lui apporter des explications permettant une meilleure compréhension ? À l'inverse lui demandez-vous de lire pour lui-même, silencieusement, puis qu'il fasse son devoir ? Que se passe-t-il à la fin de l'exercice ? Le corrigez-vous ou vous contentez-vous de vérifier que le travail a été fait ? La précision de ce contrat est importante pour faciliter la concentration.

Restez si possible près de votre enfant quand il lit ou pour soutenir son exploration et partager la joie de comprendre. Lorsque vous conjuguez vos efforts pour chercher ensemble le sens de ce qu'il lit, sa concentration est bien meilleure.

Évitez de corriger trop vite votre enfant ; qu'elle soit apportée par un adulte ou par un enfant plus âgé, une correction unilatérale, rapide, ne favorise pas la concentration. Par contre, devant une phrase mal comprise, répétez ce qu'a prononcé l'enfant, vous verrez se dessiner chez lui le désir de réfléchir avec vous au sens de l'énoncé.

Essayez donc de faciliter sa compréhension en suivant sa logique et en corrigeant positivement ses erreurs. N'hésitez pas à lui refaire faire un exercice pour vous assurer qu'il a bien compris vos explications.

Ces conseils sont efficaces lorsqu'ils sont appliqués de bonne heure dans la scolarité de l'enfant et neuf fois sur dix nous voyons progressivement la concentration s'améliorer.

7

COMMENT ÉDUQUER SA CONCENTRATION

Vous l'avez compris, l'éveil de la concentration commence in utero et se poursuit jusqu'à la puberté. Au début de la grossesse, les neurones du bébé se multiplient, se mettent en place, se connectent. Dès sa naissance, il capte les informations importantes de son environnement et filtre celles qui ne le sont pas. L'interaction avec ses parents permet d'emblée à ces connexions d'être riches et efficaces. Elles continueront de se multiplier tout au long de sa croissance. Donc, à tout âge, vous avez une marge de manœuvre, même si l'idéal est bien sûr de faciliter ses facultés de concentration dès la naissance.

Car exercer la concentration de son enfant a toujours fait partie des actions éducatives. Mais elle revêt de nos jours une importance dont nous avons analysé précédemment les raisons.

Ma méthode pour exercer sa concentration est fondée sur la connaissance des processus de développement du cerveau exposé au chapitre 4.

Une méthode à lire et à relire quand votre enfant grandit

Notre capacité de stimuler les facultés d'attention de notre enfant dépend :

– de notre atmosphère de vie. Il y a des moments où, tout naturellement, sans même nous en rendre compte, nous agissons avec notre enfant, lui parlons, jouons avec lui d'une façon riche qui facilite les câblages neuronaux sans que nous le sachions. À d'autres moments, nous sommes accaparés par des préoccupations multiples et ne conservons plus le même calme, le même intérêt pour ses découvertes, la même réceptivité à ses demandes. Je vais vous aider à retrouver les bons moments.

– Cette capacité dépend aussi de notre tempérament : il y a des parents communicants, qui savent instinctivement concentrer l'attention de leur enfant. Il y en a même pour lesquels c'est une passion permanente. D'autres parents, tout aussi aimants, seront plus attentifs à la tenue vestimentaire, à la bonne éducation, au développement de ses aptitudes physiques, à son autonomie. Autant de notions importantes, certes, mais qui ne suffisent pas à développer les capacités de concentration vers la communication par le langage, si nécessaire aujourd'hui aux acquis scolaires puis sociaux...

Il n'y a pas de bons ou de mauvais parents, nous sommes parfois comme les premiers, parfois comme les seconds, selon notre fatigue, nos préoccupations. La personnalité unique de notre enfant se construit avec nos réussites comme avec nos erreurs, tout lui est bénéfique pourvu que nous l'aimions. Simplement, il faut s'analyser régulièrement, se remettre en question de temps en temps. Avec cette méthode, j'espère vous encourager à trouver les échanges qui lui donneront des facilités de concentration.

164

– Cette capacité dépend encore du tempérament de notre enfant. Dès la naissance, les bébés sont inégaux : certains appellent à communiquer, leur cou se tend vers le visage qui se penche sur eux, leurs lèvres cherchent déjà à répondre, leur regard se vrille dans nos yeux. Vous n'échapperez pas à la communication avec ceux-là, et la méthode ne servira qu'à vous conforter dans votre démarche spontanée – ce qui est tout de même important car ces bébés toujours en « pourquoi ? » et « encore » sont épuisants... « Je n'arrête pas, me dit un jour la maman de Robin. Il a tété mon lait, à la demande, j'ai donné, j'ai donné... Et maintenant, franchement, il me tète la cervelle ! » Elle me le dit avec un grand sourire, les yeux attentifs de son enfant montrent une vivacité tellement gratifiante !

Et puis, il y a les petits moineaux qui semblent tombés du nid. Pendant les premières semaines, ce sont des bébés avec lesquels il n'est pas facile d'entrer en contact : ils pleurent et sont difficiles à consoler, ou ils dorment beaucoup, semblent dans leurs rêves ; vous accrochez mal le regard. Le pédiatre vous dit que votre bébé est normal, mais comme il est difficile alors de jouer avec lui, de lui chanter une comptine, de lui parler... Plus grands, d'autres enfants sont très physiques, admirablement « autonomes », mais parlent peu, plus intéressés à faire quelques bêtises qu'à écouter vos histoires. Ce sont souvent les mêmes qui accumulent les accidents domestiques, bobos et toxiques en tout genre. Ceux-là ont particulièrement besoin que vous lisiez attentivement mes conseils, et que vous les fassiez lire à papa, mamie, la nounou. Car je suis bien d'accord avec le proverbe africain : « Il faut tout un village pour élever un enfant. »

Et souvenez-vous du développement du cerveau : il est « plastique », c'est-à-dire malléable jusqu'à la puberté et encore au-delà. Il n'est donc jamais trop tard pour aider votre enfant à se concentrer, il vous faudra simplement d'autant plus de temps et d'aide que les difficultés de la concentration sont importantes et installées depuis longtemps.

Je vais vous décrire systématiquement les approches qui stimulent sa concentration pour chaque tranche d'âge avec des exemples à l'appui. Quatre comportements de base sont indispensables : la découverte du monde par les cinq sens dès le premier jour, puis l'expression par le langage, l'intégration sociale par l'imitation, la connaissance par la lecture. Telles sont les étapes suivies progressivement à chaque âge.

Mes exemples vous montreront comment vous pouvez tirer parti des jouets les plus courants, des histoires les plus classiques, des occupations de la vie quotidienne pour exercer la concentration de votre enfant. Vous trouverez p. 228 une liste du matériel qui vous sera utile

Jouer, pour bébé, c'est travailler ; jouer, c'est découvrir, observer, manipuler, communiquer, comprendre. Jouer avec votre nourrisson constitue une occasion exceptionnelle d'éveiller son intérêt et de lui apprendre à focaliser son attention, donc à se concentrer. Ainsi certains jeux bien choisis, certaines façons de jouer, contribuent à renforcer sa capacité de concentration, au fur et à mesure que votre enfant grandit.

Parler, c'est balbutier le langage « maman-bébé » avec votre nouveau-né. Lui sourire, c'est déjà le premier échange. Plus vous parlerez à votre nourrisson, plus vous irez « à la pêche » de son intérêt, à la rencontre de son regard, de son rire, plus vous solliciterez ses neurones et valoriserez ses premières productions linguistiques.

Parmi les différentes « entrées » des informations dans la mémoire, le langage est l'une des plus importantes. Les images sont rapidement associées à un mot.

Elles bénéficient ainsi d'un « double codage » et se retiennent mieux.

N'hésitez pas, n'ayez pas peur de bêtifier, n'ayez pas peur de « parler bébé ». Au fur et à mesure qu'il grandit, chaque occasion de parler en ajustant votre discours à sa capacité d'écoute favorise sa concentration. Parler en sollicitant l'interaction avec votre petit est un véritable don, inné chez certains parents, plus réfléchi pour d'autres : l'imitation du langage est une fonction naturelle de la relation mère/enfant, mais elle peut faire l'objet d'exercices spécifiques comme vous allez le découvrir. Nous verrons comment, malgré vos occupations, vous pouvez multiplier les occasions de parler avec votre enfant.

Raconter est un art, la clé de la concentration. Là aussi, certains parents ont le don inné, d'autres ont besoin d'analyser le processus de rencontre avec l'enfant par la parole pour savoir raconter en concentrant la pensée du petit. Raconter, ce n'est pas seulement l'histoire du soir, ce peut être chanter une comptine, savoir faire le récit des moments de la journée, lui décrire la vie, lors des conversations à table. Très importants, les repas.... pour développer sa concentration !

Lire est l'ultime aboutissement des échanges entre l'enfant et son environnement. Car, à l'instar de son accession à la marche debout, la lecture lui permet d'entrer seul dans la mémoire du monde. Des expériences ont montré que la lecture est trois fois plus efficace que la télé pour apprendre. Parce qu'elle peut être menée exactement au rythme de celui qui apprend, et parce qu'elle donne au cerveau le temps nécessaire pour se concentrer et trier les connaissances nouvelles.

À chaque âge vous allez pouvoir mieux solliciter l'attention de votre enfant et l'exercer à se concentrer avec les conseils qui suivent.

L'initier au multimédia : l'ordinateur avec CD-Rom, imprimante est une technique très intéressante. Elle permet de lire et entendre chaque mot, allié à l'image correspondante, au rythme de l'enfant. Cela ne supprime pas l'effort de concentration mais peut le rendre plus efficace.

De 0 à 3 ans : la concentration du bébé

Ses « jouets-concentration », de plus en plus tôt

Les grandes règles du jeu avec le tout-petit :

– *Encouragez-le :* votre enfant a besoin d'une relation jubilatoire avec ses parents. Il se concentrera d'autant mieux qu'il sentira votre enthousiasme lorsqu'il réussit. Ne soyez donc pas trop rigoriste en corrigeant ses erreurs, ce qui le démotiverait, ou en ne commentant que ses échecs.

– *Renforcez ses productions :* si votre enfant parvient à décrire lui-même le canard qui flotte, le train qui monte et descend, l'écoute et l'attention que vous lui portez favoriseront sa propre concentration pour la suite. C'est le renforcement parental.

– *Entrez dans ses centres d'intérêt :* si vous avez décidé de lui raconter l'histoire du *Petit Ours brun* et si vous le voyez jeter le livre à terre pour aller jouer avec ses voitures, renoncez à votre propre projet pour participer à son jeu. Si vous créez alors un petit chemin pour sa voiture, si vous inventez une sorte de garage, si vous commentez l'action : « la voiture roule », « elle recule », « elle tourne », « elle cause un accident », vous habituerez votre enfant à se concentrer. Ensuite il viendra plus facilement vers les histoires que vous voudrez lui raconter. C'est donc à vous d'entrer dans son centre d'intérêt et non pas à lui de venir vers vous.

Les jouets sont de formidables instruments pour développer la concentration

À certaines conditions :

– *N'imposez pas le jouet qui vous plaît*, mais qui n'intéresse pas votre enfant. Entrez dans son jeu, en l'observant et en le rejoignant, au lieu de lui imposer votre propre idée.

– *Ne vous attendez pas à ce qu'il joue longtemps seul* : jusqu'à 3 ans, vous devez jouer avec lui dans un premier temps. Plus votre petit joue seul, moins il exerce sa concentration et moins il sera attentif à la communication avec les autres par la suite. Mais, après avoir joué avec vous, l'enfant pourra jouer seul avec le même objet. Il saura alors faire un effort de concentration pour rappeler à sa mémoire la scène vécue avec sa maman. Vous serez souvent étonnée de l'entendre reprendre l'une de vos expressions, celle qui lui a plu. Le jeu a pris son sens.

– *Choisissez bien ses jouets* : ceux qu'il manipule et qui se transforment sont les plus riches en découvertes. Mais une simple peluche peut exercer la concentration si vous lui donnez un sens, si vous faites parler son petit nounours, si vous mimez des scènes avec lui : l'ours s'adresse au bébé, il danse, il se frotte les yeux parce qu'il pleure, il éternue... Vous pouvez ainsi inventer des saynètes avec n'importe quel jouet, même si ce jouet ne paraissait pas interactif a priori.

Certains jouets stimulent plus particulièrement la concentration

Les études ont montré que les bébés d'aujourd'hui utilisent les jouets plus précocement que la génération précédente. Si votre enfant n'est pas capable de se servir de toutes les fonctions proposées par le jouet, s'il en détourne l'usage, ce n'est pas un problème. L'important, c'est que l'objet l'intéresse, qu'il se concentre sur lui, qu'il tente des mouvements vers lui, qu'il babille devant, que l'objet vous aide à communiquer avec bébé... Alors, c'est un bon jouet pour lui.

Le mobile musical, suspendu dès ses premières semaines au-dessus de son lit, avec sa ritournelle, développe le sens de l'observation, de l'écoute et l'interaction.

Dès l'âge de 2 mois, *le portique* installé au-dessus de son siège stimule d'abord sa concentration visuelle ; puis il remarque le bruit provoqué par ses mouvements fortuits sur les anneaux ; puis il fait la relation de cause à effet et frappe volontairement les motifs. Si vous êtes là et vous émerveillez, il apprend vite à se concentrer pour recommencer cette prouesse...

Dès l'âge de 4 mois, bébé peut être posé sur son *tapis d'éveil.* Il y fera des découvertes mobilisant non seulement ses mains et ses yeux mais tout son corps, le tonus de son cou, celui de ses jambes et de ses pieds... découvertes d'autant plus amusantes que vous les partagerez avec lui, lors des premiers moments.

Les jeux d'eau éveillent son sens de la science physique, déjà ! Votre enfant assis dans sa baignoire est émerveillé par ses trouvailles : il ne peut pas saisir l'eau qui coule du robinet ; les bulles de savon s'envolent, multicolores ; le petit seau flotte lorsqu'il est vide et coule lorsqu'il est plein ; la mousse s'efface de ses mains lorsqu'il ferme le poing. Si vous laissez bébé jouer sans intervenir, il fera ses observations de façon désordonnée, clapotant dans l'eau et provoquant les événements sans vraiment se concentrer. Par contre si, par moments, vous intervenez en jouant avec lui, en coulant à nouveau le seau, en disant le mot qui souligne l'événement, vous verrez votre enfant se concentrer, diriger son regard plus longtemps vers l'action, la répéter et bientôt la commenter.

À partir de 12 à 18 mois, les jeux de construction développent la concentration. *Les cubes gigognes* que vous mettez en pyramide et que bébé s'amuse à détruire peuvent l'occuper trente secondes s'il joue tout seul... et dix minutes si vous jouez avec lui ! Sa concentration est en effet stimulée par votre enthousiasme devant sa construction, par votre rire lorsqu'il la détruit et par votre participation à ses recherches lorsqu'il faut retrouver chaque cube, du plus grand au plus petit, éparpillés tout autour. Vous voyez comme la logique de l'action, au fur et à mesure du déroulement du jeu, stimule la concentration.

Les formes à encastrer demandent une progression dans la découverte : bébé repère d'abord le rond, il l'encastre dans le bon trou ; félicitez-le, encouragez-le. N'essayez pas de lui faire reconnaître en même temps le carré, le triangle, l'étoile.... L'excès d'informations empêche la concentration : il serait en échec, déçu, et agirait n'importe comment sans se fixer. Vous n'introduirez le carré que lorsque bébé arrivera à faire pénétrer le rond régulièrement, sans erreur, pendant plusieurs jours. Et ainsi de suite... Cette progressivité est valable pour tous les apprentissages.

Les premiers puzzles, qui consistent à encastrer des animaux ou des personnages dans des supports creusés à cet effet, répondent aux mêmes lois que les encastrements de formes : progression dans la difficulté.

Les petits animaux de ferme que l'on trouve en boîtes complètes dans le commerce paraissent élémentaires mais peuvent devenir, sous votre impulsion, intéressants pour le développement de la concentration et du langage.

Si vous les utilisez pour inventer des histoires de façon plus vivante qu'avec des livres, un tout jeune bébé devient alors capable de fixer longtemps son attention. Non seulement vous pouvez montrer la « maman-poule », le « papa-coq », les poussins, le cochon... mais si vous voulez qu'avec ses petits doigts il se concentre sur la façon de disposer les animaux, il vous faut inventer, trouver des commentaires qui aillent toujours dans le sens de ses centres d'intérêt.

Vous voyez l'opposition totale entre :

– un bébé qui ne cherche pas à vous écouter, qui ne cherche pas à classer par taille, par famille, mais qui ratisse tout d'un coup de main pour jeter : celui-ci n'a pas appris encore à se concentrer ;

– et celui qui classe comme vous le lui avez montré, par famille, par taille, en « bêtes sauvages » et « bêtes de la ferme »... Autant de notions que seul un jeu en commun avec le parent peut mettre en place. Ce sont des concepts très importants qui introduisent déjà les premiers ensembles mathématiques.

Un bain de langage

Au-delà des échanges permanents entre lui et vous, vous pouvez intégrer des exercices d'apprentissage amusants.

Dès les premiers balbutiements, vous exercerez sa concentration

La répétition de ses vocalises (« oui, tu as dit arrheu ! ») lui permet de comprendre qu'elles ont un sens pour vous et l'entraîne à se concentrer sur ses propres productions verbales. Il cherchera alors à vous satisfaire à nouveau : son regard se vrille dans le vôtre, ses lèvres se tendent, un son presque imperceptible en sort. Vous, sa maman, l'entendez. Votre visage, penché vers le sien, sourit, répond : « Mais oui ! C'est génial ! Tu parles ! Qu'est-ce que tu me racontes ? » Il voit votre joie. Et votre voix de maman que bébé a déjà entendue dans son premier berceau, votre ventre, est le plus merveilleux instrument de stimulation pour son oreille. Il ne lâche pas votre regard, bouge ses lèvres à nouveau, tend ses cordes vocales, chasse l'air de ses poumons, un retentissant « RRRheu » en sort. Vous êtes extasiée. C'est ainsi que naît la concentration que l'on voit déjà si différente d'un nourrisson à l'autre, dès 3 mois !

Adressez-vous donc à bébé, sollicitez son intérêt en lui faisant découvrir un objet, un personnage, une partie de son corps, le chien ou le chat...

Les règles de son épanouissement

Répétez les mots simples. La répétition est la base de l'apprentissage du bébé. C'est tout un art. En répétant régulièrement un mot qui intéresse l'enfant, par exemple : « Je te mets tes chaussures, je te mets ton manteau, regarde le petit canard », vous lui permettez de comprendre qu'un mot désigne un objet, par des formules simples. Vous l'entendez bientôt dire « ... sure », « ... teau », « ... nard ». S'il sent que votre admiration correspond, non pas au fait qu'il l'ait bien dit, mais au fait qu'il ait compris qu'un mot désignait un objet, il sera encouragé. Ce renforcement est indispensable. L'enfant vous entendra répéter le mot plus complètement et corrigera spontanément la prononciation.

Mais il faut rester dans le juste milieu car le nourrisson aime aussi la nouveauté et la répétition peut devenir fastidieuse... Des parents attentifs à leur enfant et qui prennent l'habitude de jouer avec lui dès la naissance se rendent généralement très bien compte du trop et du trop peu.

Ne le forcez jamais à répéter ce que vous voudriez qu'il dise ! Bébé ne doit pas faire d'effort pour parler. En le forçant, vous le découragerez. Il parle lorsqu'il est suffisamment imprégné de langage signifiant. Lorsqu'il a compris qu'un mot désigne un objet (tes « chaussures »), une action (« nous sortons »), une pensée (« tu es grand ! ») grâce à vos jeux, vos commentaires ajustés à son vocabulaire, alors il restituera les mots. Mais il y a un décalage dans le temps entre la compréhension et la production. C'est par imprégnation, à force d'entendre les sons au moment juste, que votre enfant se concentre pour les dire. Spontanément.

Ne corrigez pas sa prononciation. S'il déforme le mot, encouragez-le au contraire en montrant que vous l'avez compris, répétez-le correctement.

Premiers regards, premières histoires

Savoir raconter n'est pas un don inné

Raconter n'est pas lire. Avant 3 ans, raconter n'est pas, bien sûr, lire fidèlement un texte dont votre enfant ne saisirait pas le sens. Alors, non seulement il ne se concentrerait pas, mais se déconcentrerait ! Raconter, pendant les trois premières années, est un art que tous les parents n'ont pas spontanément. Mais si vous lisez bien ce qui suit, vous allez l'acquérir, et vivrez des moments passionnants avec votre petit !

Utilisez des mots qu'il comprend. Ne lassez pas son attention, restez dans ses centres d'intérêt et soyez très simple. Pour faciliter la concentration, ne dépassez pas son temps ni son niveau d'écoute, n'utilisez pas un vocabulaire qui lui serait difficilement compréhensible. La découverte d'un mot amusant peut le ravir occasionnellement, mais la plupart des mots du texte que vous lisez doivent lui être évidents.

174

Contentez-vous de montrer les images, au début. N'hésitez pas, la première fois, à jouer seulement à désigner les personnages : « Où est le grand ours ? Montre-moi le moyen. Où est le petit ? », en vous écartant totalement du texte et de l'histoire.

Raconter doit être un moment de plaisir. Ce qui importe, c'est que votre enfant ait envie de vous écouter et de commenter. Il n'est pas fondamental d'être fidèle au texte.

Évidemment, cela demande de votre part concentration, disponibilité, imagination. Si votre petit a tendance à tourner les pages très vite, sans écouter vos commentaires et à jeter le livre, c'est que vous n'avez pas ajusté le rythme de votre parole et de votre vocabulaire à ses possibilités d'écoute. Mieux vaut rester plus simple et reprendre l'histoire à un moment où il sera disponible. En sachant raconter, donnez-lui déjà l'amour des livres.

Comment choisir un livre pour bébé

Utilisez des histoires abondamment illustrées, avec des dessins qui vous plaisent.

L'imagier. Dès l'âge de 9 mois, vous cherchez dans l'imagier les objets de la vie courante que votre enfant commence à reconnaître : le bébé, la cuillère, la chaise... Les animaux ont beaucoup de succès ainsi que les objets de la cuisine ou de la salle de bains. Au fur et à mesure du développement de son langage, il prendra plaisir à des images nouvelles.

Puis vient le temps des « vrais livres ».

Voici quelques histoires fondamentales qui ont prouvé combien elles attiraient l'intérêt de l'enfant et favorisaient sa concentration.

Les Aventures de Babar : les illustrations et la calligraphie, particulièrement adaptées au premier âge, permettent à l'enfant dès sa deuxième année d'en connaître tous les personnages et de remarquer la foule de détails visibles sur les deux pages. Prenez votre temps pour commenter avec lui l'attitude de chaque bébé-éléphant, du singe Zéphir, de la Vieille Dame...

À partir de 2 ans, l'histoire de **Boucle d'Or et les trois ours** permet d'intégrer la notion d'interdit (Boucle d'Or transgresse un interdit en entrant dans une maison qu'elle ne connaît pas), et la notion de taille (grand, moyen et petit). Cette fillette espiègle, ces ours dans la forêt, cette petite chaumière font toujours le délice des enfants.

Comment raconter ? Normalement le texte lu de façon linéaire prend environ cinq minutes, mais ce n'est pas en respectant l'écrit que vous favoriserez la concentration de votre enfant. Lorsque vous avez lu une petite phrase, vous sentez, en tant que parent, s'il faut l'adapter aux mots que peut comprendre votre petit, le laisser réagir, répondre, montrer sur l'image où est le bol de soupe, la petite chaise qui se casse. N'hésitez pas à poser des questions : « Tu aimerais qu'on casse ta petite chaise, toi ? » Ainsi vous habituez votre enfant à chercher le sens du texte et à se concentrer sur la narration. Vous développez à la fois son langage et ses facultés d'attention. Un vrai bonheur !

Le Rat et le Lion reconnaissant est une belle et simple histoire de solidarité que l'enfant peut apprécier dès ses 2 ans. Là aussi, vos commentaires soutiendront le texte. N'hésitez pas à faire le parallèle avec *Le Roi Lion* de Disney, ou sa peluche-lion, ni à rugir avec le lion.

La Lune dans l'eau est un joli conte sur la nature, que votre enfant peut aussi apprécier dès ses premières années. Sortez dans le jardin le soir et montrez à l'enfant la lune dans le ciel pour donner un sens au livre. Comme disait un petit garçon de 2 ans et demi à sa maman : « Maman, la lune, elle a des piles ? » Ces réflexions, qui témoignent d'une comparaison (lumière-batteries), ne peuvent venir que si vous avez habitué votre enfant à faire des commentaires, à montrer la lune sur les livres, puis la lune dans le ciel, etc.

La Petite Poule rousse est accessible normalement dès 3 ans, car la lecture linéaire ne prend que trois minutes environ : vous entrez là dans les temps de concentration possibles à cet âge. Mais chaque enfant est plus ou moins rêveur, plus ou moins bavard : vous la raconterez aussi en l'adaptant à son propre rythme.

Les revues pour enfants favorisent aussi sa réceptivité au langage, puis à la lecture. Le principe de l'abonnement mensuel, par sa répétition, par le bonheur d'ouvrir le courrier qui lui est adressé, de retrouver les personnages, de partager leur découverte avec vous met en place les notions de temps, de continuité, de série.

Mais n'oubliez pas que la concentration ne se force pas, elle s'exerce. Ne dépassez jamais sa faculté d'attention.

La télécommande au berceau

Certains principes sont à respecter dans le choix comme dans la méthode pour que le magnétoscope favorise sa concentration au lieu de devenir une baby-sitter abêtissante.

Les premiers commandements du magnétoscope

Organisez-vous dès la première année pour un bon usage du magnétoscope avec bébé :

Le magnétoscope doit être rangé dans un meuble fermé à clé. Vous êtes maître de l'ouverture de la boîte à images.

Vous choisissez de petits films courts, dont chaque séquence dure de quatre à vingt minutes au maximum.

177

Vous regardez le film avec votre petit, en expliquant, en commentant, avant de le laisser regarder seul.

Couplez vidéo et lecture

Vous renforcez le spectacle avec l'écrit chaque fois que possible. Le meilleur moyen pour fixer sa concentration est en effet de retrouver l'histoire du film dans un petit livre. Votre enfant retiendra ainsi plus d'images, et comprendra mieux le sens des images. Il se concentrera plus facilement, plus longtemps qu'un autre enfant dont les parents ne participeraient pas ; il retiendra plus d'idées, plus de détails, et surtout comprendra mieux le thème de l'histoire. Ensuite, il feuillettera seul le livre et se le racontera à lui-même.

Les films courts et attractifs, porteurs de sens, couplés avec un album, sont donc particulièrement efficaces :

– *les histoires du Père Castor ;*

– *les Trois Petits Cochons,* avec la chanson du Grand Méchant Loup ;

– *Petit Ours brun ;*

– *Les Aventures de Babar ;*

– *Une journée à la ferme :* votre enfant découvrira des temps forts, l'éclosion des œufs, la traite des vaches, la tonte des moutons. Vous pourrez revivre la vie de la ferme en jouant ensuite avec ses petits animaux et nous pouvons être certains que le moins concentré se mettra à vous écouter bouche bée !

– *Si Noël m'était conté :* vous suivrez l'enfance du Père Noël, découvrirez les aventures de ce dernier, perdu dans le désert et la formidable entraide de tous les enfants du monde. À renforcer par la lecture de *Babar et le Père Noël.*

– *Winnie l'Ourson* avec son pot de miel est un complice immédiat : sa gourmandise rassure le petit, lui qui est si friand de ses biberons et de sa tétine. Encore à

178

quatre pattes, bébé peut tapoter sur n'importe quelle touche du clavier et imiter les cris des animaux ou s'initier à un coloriage magique. Les aventures de Winnie sont une leçon de solidarité : sa gentille naïveté ne lui permettrait pas de triompher des obstacles si tous ses amis ne venaient pas à la rescousse.

Son ordinateur, déjà !

L'ordinateur est un excellent média pour exercer la concentration avec plaisir, pour les raisons que je vous ai données. Il existe des logiciels pédagogiques pour bébé dès l'âge de 1 an :

– *Jardin d'éveil* vous est proposé par Coup de Pouce. Même à quatre pattes, bébé peut déjà agir sur le clavier. Un programme de *Maternelle* offre des interactions intelligentes dès 2 ans.

– *Akakliké* (Hatier) vous permet d'initier votre bébé à l'usage de la souris. C'est un bon programme pour se repérer dans l'espace de l'écran. Mais bébé en aura vite fait le tour et voudra plus compliqué !

– *La petite famille* par Fisher Price : autant d'occasions de canaliser l'attention du tout-petit sur un écran et une souris qu'il maîtrise rapidement. Un extraordinaire entraînement pour une concentration précoce... Comme me disait récemment la maman de Séverine, 3 ans et demi : « Elle se sert parfaitement de la souris, et navigue dans les logiciels. Quel avantage elle a, par rapport à mes aînés qui n'ont eu accès à l'ordinateur qu'à 14 ans. »

De 3 à 6 ans

Nous voilà arrivés aux âges de la maternelle, une période où vous commencez à souffler. L'appétit de découverte est moins fébrile, moins physique, surtout si votre enfant a déjà développé ses capacités de concentration.

Si votre petit est d'un tempérament calme, ne transgresse pas facilement les interdits, s'il parle bien et aime les histoires que vous lui racontez, il a déjà certainement de bonnes facultés de concentration. Vous continuerez de les cultiver, mais ce sera facile.

Vous devez être plus attentive si votre enfant est surtout physique : il aime avant tout courir, sauter, pédaler et cherche à mesurer sa force avec les autres. On le dit « autonome ». Par contre, le langage n'est pas son souci premier, il ne reste pas longtemps concentré à écouter une histoire ou à jouer avec vous.

Dans ce cas, les conseils ci-après seront d'autant plus importants à suivre pour lui donner toutes ses chances d'exercer sa concentration.

Car tout évolue rapidement dans ces années de maternelle. Vous devrez continuer de pratiquer le conte, le jeu, la conversation et la lecture avec lui, en comprenant le fonctionnement magique de son cerveau dont vous serez la bonne fée.

L'ère du « tout-jouer »

Entre 3 et 6 ans l'enfant vit des années merveilleuses, l'ère du « tout-jouer ». Profitez pleinement de cette période car elle vous permettra de partager encore ses jeux. Bien sûr, il peut maintenant jouer tout seul ou avec d'autres enfants. Il ne vient pas systématiquement vous chercher pour ses jeux. Ce n'est plus la période précédente des « jeux parallèles », du chacun pour soi, où le tout-petit ne restait pas tranquille dans sa chambre et réclamait votre présence constante. Cela ne veut pas dire pour autant que vous devez arrêter de jouer avec lui. Lorsque vous participez à son jeu, vous enrichissez son vocabulaire et vous l'encouragez à réussir ses constructions ou exprimer ses émotions. Le jeu en commun et même les jeux de société sont donc très bénéfiques pour sa concentration.

Parlez-lui en jouant. Le jeu est aussi l'occasion de développer encore son vocabulaire et sa réflexion. Cela est particulièrement valable pour un deuxième enfant. Les parents sont souvent très étonnés de s'apercevoir que leur deuxième parle un peu plus tard que l'aîné, alors qu'on pourrait penser que, dans leurs jeux, les enfants communiquent et que le grand stimule le petit au plan verbal. Mais si vous observez le jeu des enfants entre eux, vous vous apercevez qu'ils sont complices sans se parler et que leurs jeux sont plus physiques que verbaux. Donc, vous devez essayer de réserver des moments où vous allez jouer encore seuls entre adulte et enfant, et particulièrement avec votre second, si vous voulez qu'il soit aussi concentré ensuite lors de ses apprentissages et de ses conversations avec les adultes. Réservez-lui des moments pendant, par exemple, que l'aîné est en classe ou chez sa grand-mère, ou fait son travail du soir.

Établissez des habitudes de comportement : vous rangerez avec votre enfant (n'espérez pas qu'il range encore). Le rangement des jouets est une occasion d'exercer sa concentration : si vous laissez un enfant ranger tout seul, il commence avec une bonne intention, puis les jouets font diversion et il se distrait dans l'activité ludique en oubliant la consigne première. Ce n'est pas en le grondant ou en le houspillant que vous corrigerez cette inattention due à son âge, mais en rangeant avec lui par petites séquences, par exemple ses animaux de ferme dans une boîte, ses cubes dans une autre... Vous l'habituez ainsi à se concentrer sur une action jusqu'à la fin, et surtout ne transformez pas le rangement en corvée dépassant ses capacités d'attention.

Transmettez vos valeurs, vos messages éducatifs par le jeu, sans utiliser l'autorité. C'est l'occasion d'instaurer une connivence entre votre enfant et vous.

Montrez les stratégies intéressantes pour réussir et gagner. Par exemple, votre enfant comprendra mieux en jouant avec vous que détruire et jeter ses cubes n'aboutit pas à construire une tour. Ce n'est pas par la morale que vous le lui démontrerez, mais en l'aidant à bâtir sa construction.

Voici des jouets qui exercent la concentration à cet âge

Les jeux qui permettent d'imiter les parents concentrent l'enfant sur ses fonctions d'observation : *les trousses de bricoleur, les trousses de médecin, la dînette.*

Un théâtre avec ses marionnettes est très utile pour favoriser le langage et la concentration de l'enfant grâce au spectacle que vous lui donnerez ou qu'il vous donnera.

Les jeux d'enfilage et d'encastrement de lacets, de puzzles peuvent être partagés mais sans jamais lui proposer un niveau au-dessus de ses capacités.

Le monde des Lego exerce la concentration sur les mouvements des doigts. Là encore, partager la construction avec votre enfant, sans la diriger, lui permet de se concentrer bien plus que si vous le laissez jouer toujours tout seul.

Le dessin avec des feutres suppose que vous ayez organisé un espace dessin pour votre enfant : par exemple un bureau avec ses stylos bien rangés. Vous pourrez lui apprendre à les reboucher et l'encourager lorsqu'il dessine. Ne critiquez jamais ses dessins, ne les corrigez pas et laissez-le exercer sa spontanéité.

Les jeux de société commencent à être accessibles vers 4/5 ans quand ils ne supposent pas l'intervention de la lecture. Les dominos de dessins permettent d'associer les couleurs, les contraires ; les imagiers avec cartes font appel à la mémoire des joueurs.

Les fameux « Incollables » offrent des questions-réponses utilisables dès la maternelle.

Apprendre à lire l'heure, seulement vers 6 ans, est un excellent exercice de concentration. Vous lui permettrez de faire la relation entre les deux formes d'affichage, manuel et électronique, en lui apprenant à lire l'heure sur deux montres à cadran différent.

Parlez-lui d'amour, parlez-lui toujours !

Si votre enfant parle bien en entrant à la maternelle, continuez à lui réserver des temps de communication avec vous, à lui répondre, à commenter l'environnement pendant les trajets en voiture ou à pied ; parlez avec lui pendant les repas ; commentez ses émissions de télévision, intéressez-vous à ses amis et à ses occupations scolaires.

S'il est en retard par rapport aux autres, ne comptez pas sur les copains de l'école pour enrichir son expression. Comme nous l'avons vu, la collectivité d'enfants ne favorise pas le langage. Si votre petit est en retard sur le plan verbal, ce n'est pas l'école maternelle qui lui fera faire des progrès. Il aura plutôt, comme nous l'avons vu, des difficultés de concentration et s'intéressera surtout aux jeux physiques, aux bagarres dans la cour de récréation. Il aura peu tendance à écouter la maîtresse, et à répondre, à comprendre les consignes, à s'exprimer. Vous devez donc lui consacrer des moments de parole, et faire appel à une mamie disponible, une jeune fille joueuse, une nounou affectueuse et communicante lorsque vous êtes lasse. Tous les moyens sont bons pour

183

jouer et parler, parler et jouer. Ainsi prend-il l'habitude de mieux se concentrer sur les paroles, et laisse moins fuser son énergie de manière désordonnée.

Beaucoup de mamans sont déçues parce que leur petit ne sait pas leur raconter sa journée d'école. Mais ne posez pas à votre enfant des questions précises sur ses activités scolaires s'il ne vous en parle pas spontanément. Certains enfants ne savent pas raconter quelles ont été les activités de la matinée. Essayez plutôt d'observer ses dessins, demandez à la maîtresse le programme de la semaine ; il sera alors très heureux de vous dire ce qu'il a fait avec ses amis. C'est parce que vous participerez à sa vie que votre enfant parlera, et non parce que vous l'aurez soumis à un interrogatoire pressant juste à la sortie de l'école.

Les contes de fées, une école de concentration

Les contes et légendes imprégneront toute la vie de votre enfant. Pour raconter, gardez les mêmes principes que page 176.

L'heure du conte est un moment de tendresse, de plaisir... et de concentration. Entre 3 et 6 ans, on aime raconter une histoire à son enfant au coucher.

Comment exercer sa concentration en racontant

Grâce aux histoires, votre enfant développe sa mémoire auditive et s'entraîne à écouter l'adulte, à découvrir un nouveau vocabulaire, à retenir la structure d'un récit. Ce sont là les premiers pas vers une lecture intelligente qui consiste à déchiffrer non seulement les mots, mais aussi le sens d'un récit.

– Choisissez toujours *une lecture en dessous du niveau de compréhension* de votre enfant, en sorte qu'il lui soit facile de se concentrer pour vous écouter.

– *Les images ont toujours une très grande importance* pour fixer la concentration pendant que vous racontez. Efforcez-vous de choisir des livres dont les illustrations soient riches et agréables.

– *Suivez le rythme de votre enfant* lorsque vous lui racontez ces histoires, n'hésitez pas à les lui répéter plusieurs fois lorsqu'il les réclame.

– *Racontez seul à seul*, porte fermée pour ne pas être dérangé par les autres enfants. Les parents doivent se répartir différemment chaque soir les frères et sœurs. Les grands-parents sont précieux pour vous aider. Si vous racontez l'histoire personnellement, votre enfant sera beaucoup plus attentif. Lorsque vous essayez de grouper la séance en racontant un livre à plusieurs enfants à la fois, vous adaptez automatiquement votre discours au plus grand et les petits ont tendance à se lever, à aller jouer et à échapper. Donc vous n'exercez pas leur concentration. Mieux vaut répartir la tâche entre papa et maman, mamie et maman, et que chacun ait son histoire.

– *Ne vous étonnez pas s'il aime « les méchants »*. C'est l'âge où les contes faisant écho à ses grandes peurs le captivent. Commentés avec votre voix, apportant des solutions positives, ils permettent à l'enfant de mettre de l'ordre dans ses émotions. Ne vous étonnez pas s'il demande plus particulièrement les passages où les méchants sont terrifiants. Racontés par la voix de ses parents et dans un conte dont la fin est heureuse, les moments de frayeur prennent une dimension positive pour l'imaginaire des petits. Ne bannissez donc pas les personnages qui, selon vous, font peur aux enfants. Ils sont très utiles et permettent de donner un visage à l'angoisse qui étreint souvent votre petit : la peur d'être abandonné, de ne pas être aimé, la peur de vous décevoir et la peur que vous mourriez. Autant de loups qui habitent son imaginaire. En choisissant des histoires qui

185

montrent comment l'intelligence, le courage permettent de triompher des embûches, vous l'aidez à mettre de l'ordre dans ses émotions.

– *Racontez vous-même.* Les parents savent adapter l'histoire aux émotions de leur enfant. Votre voix est un excellent vecteur sentimental pour lui, c'est pourquoi il est bien plus stimulant d'entendre maman raconter une histoire plutôt qu'une cassette qui souvent endort l'enfant. Vous saurez instinctivement changer de voix, de rythme, de ton pour animer le récit. Lorsque ces histoires sont racontées par un parent bienveillant, intime avec l'enfant, elles sont bénéfiques, car vous adaptez alors votre discours, vous vous interrompez pour répondre, vous pouvez sentir si l'émotion est trop forte et s'il convient de faire une pause ou une diversion.

– *La même histoire répétée,* comme une comptine, exerce une fascination sur l'enfant. Il adore les rituels qui le sécurisent et qui lui permettent de découvrir de nouveaux détails. N'hésitez pas à enjoliver l'histoire d'un soir à l'autre pour la rendre de plus en plus riche.

– Comment raconter ? L'ambiance dans laquelle vous racontez l'histoire à votre enfant est très importante. Il est effectivement bon pour lui que vous ayez un endroit réservé à cette détente. L'idéal est de s'installer dans un coin de la chambre, avec des coussins et une lumière atténuée.

– « *Il était une fois...* » : la plupart des contes commencent par cette formule, qui peut paraître désuète, mais permet d'indiquer à l'enfant que nous entrons dans le monde de l'imaginaire : tout ceci n'est pas réel. C'est important car même s'il rencontre, dans l'histoire, le reflet de ses émotions, il a besoin de se protéger de pulsions trop fortes en prenant conscience que le récit se passe ailleurs, dans un pays lointain, avec des princes et des princesses. Ainsi peut-il se protéger en particulier d'une trop grande crainte des méchants.

186

– *Ménagez le suspense :* veillez à parler lentement et clairement en respectant des temps de repos et des silences qui permettent à l'enfant d'intégrer ce qu'il vient d'entendre. Si vous le voyez songeur, s'il n'est pas encore pressé de tourner la page, cela signifie qu'il est en pleine activité mentale ; il se concentre sur ce que vous venez de raconter, il imagine la suite, il savoure un événement ou un portrait qui le concerne particulièrement.

Ainsi, raconter est tout un art. Lorsque l'histoire est bien dite, votre enfant s'identifie au héros. Vous le voyez concentré, triste, abattu, tant que le héros du conte est dans le malheur ; et s'écrier de joie quand le temps du bonheur arrive. Après avoir souffert impatiemment du triomphe apparent du méchant, le voilà ravi de le voir enfin puni comme il le mérite.

Mes contes préférés pour sa concentration

Les livres que je vais vous citer vont me permettre de vous montrer comment vous pouvez en extraire de véritables petits exercices de concentration qui amuseront beaucoup votre enfant. Ce ne sont là que des exemples dont vous pouvez vous inspirer ensuite lorsque vous racontez une histoire. Ne multipliez cependant pas les exercices pour que l'effet magique du récit ne soit pas brisé. Respectez toujours le principe de plaisir. Si votre enfant se lasse, ne dépassez pas ses capacités d'attention. Cessez la narration et recommencez à un autre moment. Je vous conseille plutôt de réserver les exercices au lendemain, dans la journée.

Dumbo correspond au rêve de tout enfant de pouvoir compenser son extrême faiblesse initiale par un don exceptionnel qui épaterait la galerie (il vole !)

Bambi, Le Roi Lion, permettent à l'enfant de mieux surmonter sa peur de perdre son père ou sa mère ; ils apprennent l'importance de la solidarité entre amis.

187

Le Petit Poucet rappelle aussi la crainte de l'abandon par les parents.

Cendrillon permet d'évacuer l'idée de faiblesse enfantine et de jalousie entre les frères et sœurs.

Blanche-Neige et les Sept Nains est passionnant dès l'âge de 3 ans, même si l'intérêt de l'enfant évolue jusqu'à 9 ans : lorsqu'il est tout petit, il s'intéresse surtout à la Sorcière et aux Sept Nains. Plus il grandit, plus l'amour de Blanche-Neige et la transformation de la jeune fille grâce à l'arrivée du Prince le concernent.

Les 101 Dalmatiens l'aideront à reconnaître ses défauts : l'amour de la télévision, la gourmandise et la crainte de ces adultes géants et terrifiants comme Cruella. La fin heureuse rassure.

Le Petit Chaperon rouge impressionne parce qu'il désobéit et rencontre la peur au bout du chemin. Ainsi va la vie quotidienne de tous nos petits, même si nous n'en avons pas toujours conscience.

Tout enfant à un moment ou l'autre se sent mal aimé comme *Cendrillon*. Ce conte le console en lui montrant que finalement on peut rencontrer quelqu'un qui nous aide à triompher des jaloux. De la même façon, *La Belle au bois dormant, Blanche-Neige* avec la Sorcière ou *Le Roi Lion*, avec le méchant Scar, aident l'enfant à prendre confiance en lui, à se dire que, malgré sa faiblesse, il sera capable de vaincre ses pulsions et les mauvais coups du sort.

Autant de contes restés éternels parce que, après des moments terrifiants, leur fin heureuse permet à l'enfant de vaincre ses peurs.

Le principe de l'abonnement à des journaux dont le contenu est plein d'informations passionnantes, comme, pour cet âge, *Pomme d'Api* mais aussi les bandes dessinées, comme *Le Journal de Mickey* contribue à donner la notion du temps.

188

Mes jeux de concentration avec Babar, Donald, Bambi et les autres...

Voici quelques jeux qui prolongent ces histoires en développant la capacité d'attention de votre enfant. Ces exercices sont des exemples qui vous montrent comment tirer le meilleur parti pour la concentration, des héros, des livres et des films favoris, de votre enfant.

Se concentrer pour reconnaître

Avec une bande dessinée de Mickey, demandez-lui de vous montrer :
– toutes les images de Mickey,
– puis toutes les images de Minnie,
– toutes les images de Donald, etc.

Jeu de concentration auditive

Racontez l'histoire de Bambi, puis testez sa mémorisation des personnages :
Te souviens-tu du nom des amis de Bambi ?
a) le nom du lapin ;
b) le nom de sa fiancée, la biche ;
c) le nom de la mouflette.
Réponse : Pan Pan, Faline et Fleur.

Jeu de concentration visuelle

Regardez d'abord ensemble une bande dessinée de Mickey et de Donald, puis demandez à votre enfant :
Peux-tu répondre aux questions suivantes :
a) combien y a-t-il de boutons sur la veste de Donald ?

189

b) combien y a-t-il de boutons sur la veste de Mickey?
c) Donald a-t-il une culotte?
d) L'oncle Picsou a-t-il des lunettes?
e) Minnie porte-t-elle des bracelets?

Le Roi Lion
Écrivez sur une feuille :
1) Mufasa   a) Le frère du Roi Lion
2) Simba   b) Le fils du Roi Lion
3) Scar   c) L'amie du Roi Lion
4) Nala   d) Le bébé Lion

Demandez à votre enfant de relier les noms aux personnages que vous lui lisez, et apprenez-lui à « reconnaître » en lecture globale certains des noms propres.

Se concentrer sur le vocabulaire

Après avoir regardé le film, puis raconté le livre du *Roi Lion*, demandez-lui de vous montrer sur les images :
1) où est le cimetière des éléphants?
2) où est le phacochère?
3) où est la mangouste?
4) sur quel continent se déroule l'histoire du Roi Lion?

Il est souhaitable que votre enfant feuillette le livre pour trouver les réponses. Il apprend ainsi à se concentrer et cherche dans les images les informations dont il a besoin.

Se concentrer pour classer

Babar permet d'apprendre ce qui est grand et ce qui est petit :

Qui est le plus grand :
– Arhur, le cousin ?
– ou Alexandre, l'un des enfants ?

Se concentrer sur les nombres

Babar a trois enfants, Donald a trois neveux :
1) Combien d'enfants y a-t-il en tout ?
2) J'ai oublié le prénom du sixième, mais tu peux m'aider à le retrouver, en sachant que :
– Le premier se nomme Alexandre.
– Le deuxième s'appelle Fifi.
– La quatrième s'appelle Flora.
– Le cinquième Riri.
– Le sixième s'appelle : ..... ?
Réponse : Loulou.
3) Il est de la famille de ..... ?
Réponse : Donald.

Se concentrer pour compter

– Jusqu'à 3 : combien Donald a-t-il de neveux ?
Montre-moi avec tes doigts.
Nous allons écrire sur l'ordinateur le chiffre 3, puis nous l'imprimons.

– Jusqu'à 7 : Les nains de Blanche-Neige.
Photocopiez une page du livre de Blanche-Neige représentant les Sept Nains. Découpez chaque nain. Apprenez à votre enfant le chiffre 3 : 3 nains. Puis les chiffres 4, 5, 6 , 7 en montrant en même temps les nains et sur les doigts de l'enfant. N'apprenez qu'un chiffre nouveau que lorsque les autres sont parfaitement connus. D'abord un nain, deux nains, puis trois ; 1, 2, 3 Quand l'enfant a bien appris à compter les trois, on peut introduire le 4, puis l'un après l'autre, jusqu'au chiffre 7.

191

– Jusqu'à 9, et plus... avec *Les 101 Dalmatiens* :
Vous pouvez ensuite photocopier une page des dalmatiens, vous repérerez chaque personnage avec votre enfant et augmenterez ainsi le nombre des figurines jusqu'au chiffre 9, et plus, si votre petit veut poursuivre. Mais ne le mettez jamais en situation d'échec !

Les films

À partir de 3 ans, l'enfant apprécie de plus en plus les cassettes vidéo qu'il serait idéal de regarder ensemble.

Mes « règles-concentration » pour ses films vidéo

Les cassettes vidéo peuvent être un bon vecteur de concentration si vous respectez les règles suivantes :

*Choisissez des films adaptés à son âge : **Bambi, Winnie** ou **Le Roi Lion**,* autant de scènes dont l'enfant comprendra progressivement la plupart des passages.

Partagez le spectacle : même s'il n'est pas attentif tout au long du film, dès l'âge de 3 ans vous pouvez vous asseoir avec lui sur le canapé et soutenir son attention en lui expliquant les épisodes dont il ne comprend pas immédiatement le sens. Ce spectacle partagé est un bon exercice de concentration, contrairement à la démarche qui consiste à laisser l'enfant seul devant la télévision. Je vous conseille de commencer par une séance ensemble pour lui permettre de se concentrer sur les messages du film. Lorsqu'il le verra à nouveau sans vous, il saura aller « à la pêche » de l'information au lieu d'être un spectateur passif.

Choisissez des films au rythme calme : certaines productions télévisées, comme les dessins animés japonais, font défiler trop d'images à la seconde. L'action est permanente, avec des rebondissements incessants sur des thèmes violents. Ce sont des laboratoires de déconcentration, comme certains jeux vidéo !

Vous pouvez déjà l'initier à l'anglais, grâce à des cassettes ludiques.

Son ordinateur, la souris qui concentre

L'ordinateur offre maintenant des logiciels pédagogiques tout à fait adaptés à l'éveil de votre enfant.

Les logiciels pédagogiques apportent un fabuleux outil pour favoriser la concentration ; que je pense que toutes les orthophonistes et tous les enseignants s'en serviront bientôt. Mais sachez que vous pouvez initier votre enfant de bonne heure et lui donner accès à cet outil irremplaçable.

Les parents passionnés connaissent bien la gamme *Adibou* qui commence par l'accompagnement de la lecture, puis passe au calcul et à toutes les notions scolaires dès l'âge de 4 ans. Un petit extraterrestre accompagne l'enfant dans un pays imaginaire et devient vite son complice. Il l'implique dans ses aventures, l'encourage, le félicite, l'aide à comprendre la situation, le guide en corrigeant ses erreurs dans un langage qui lui est accessible, vivant et plein d'humour. La gamme des logiciels pédagogiques s'étend. Vous trouverez des idées p. 228.

Découvrez le programme avec votre enfant

Grâce à votre participation, l'enfant s'entraîne à se concentrer sur des activités ludiques et créatives. En même temps cela encourage son sens de l'initiative. Il commence à acquérir des notions de calcul, de lecture, de découverte de la nature et de sciences avec une concentration optimale. Ces logiciels proposent des exercices adaptés aux capacités d'attention et autorisent l'enfant à faire une pause lorsqu'il se déconcentre. Une pause-jeu lui permet alors de libérer l'énergie, et de retrouver sa concentration. Petit à petit l'enfant devient autonome, mais je ne peux que vous conseiller de partager avec lui la découverte de chaque programme et de l'accompagner régulièrement dans ses exercices.

Sa position favorise sa concentration

À cet âge, il est particulièrement important de bien installer votre enfant devant l'ordinateur. Son confort postural est en effet indispensable pour le rendre attentif :

– La température de la chambre doit être aux alentours de 20°.

– L'ordinateur doit être posé sur une table assez large et assez basse pour que l'écran se trouve à hauteur des yeux. Je vous conseille d'acheter un siège réglable car votre enfant va grandir. D'autant plus qu'il faudra toujours l'asseoir en sorte qu'il ait ses coudes légèrement surélevés par rapport à la table et que ses jambes ne pendent pas dans le vide. N'hésitez pas à poser un petit tabouret sous ses pieds.

– La lumière d'ambiance doit être douce et l'écran ne doit pas comporter de reflets. Sa luminosité et les contrastes ne doivent pas être trop violents pour ne pas fatiguer la vue. L'idéal est de placer l'ordinateur perpendiculaire à la fenêtre de sa chambre.

– Réglez le son de telle sorte que votre enfant ne s'habitue pas à des effets sonores trop assourdissants. Pour se concentrer, il doit être, si possible, isolé du bruit ambiant et il vaut donc mieux ne pas installer l'ordinateur dans une salle de jeux commune à toute la famille.

– Votre enfant apprendra très vite à utiliser la souris. À 3 ans, le mieux est de la placer au milieu, devant le clavier ; car, au début, il la tiendra souvent à deux mains pour la déplacer lentement sans gestes brusques et en observant en même temps le mouvement du curseur sur l'écran. Ne vous étonnez pas s'il lui faut plusieurs séances pour apprendre à maîtriser ses mouvements. Petit à petit vous le verrez se concentrer seulement sur le curseur et cliquer en appuyant sur les boutons de la souris sans la bouger. Vous pouvez coller une gommette de couleur sur le bouton de gauche pour que l'enfant le repère facilement. Par contre, le clavier peut être disposé sur le côté car il est peu utilisé.

– L'imprimante est très utile. Votre enfant peut grâce à elle produire un dessin. Il doit patienter le temps du chargement de l'impression et vérifier l'opération si l'impression se fait attendre. Autant de démarches qui exercent encore sa patience, un des éléments de la concentration. Jouez à lui faire écrire « papa » et « maman » sur le clavier, et à l'imprimer ensuite, en caractères normaux, en plus petits, en italique, en gras... Vous provoquerez un grand bonheur chez les tout-petits. Dès l'âge de 3 ans, lorsqu'il voit ses créations s'imprimer, votre petit est ravi.

– Ne faites pas participer votre enfant aux phases d'installation et de lancement des logiciels, de connexion de l'imprimante et de vérification de bonne marche du CD-Rom car elles sont un peu fastidieuses. Vous devez avoir initié l'essentiel avant de l'appeler à entrer dans le jeu.

– Ensuite vous lui apprendrez – et cela fait encore partie de son exercice de concentration – à manipuler correctement et délicatement les disques, sans mettre les doigts dessus mais en les prenant par les bords, à ouvrir le lecteur de CD-Rom délicatement avec le petit bouton prévu à cet effet ; et à ranger son disque une fois qu'il est éjecté et qu'il a fini de jouer.

Toutes ces habitudes favorisent la concentration.

Votre présence au cours de ces premières manipulations lui permettra d'être bien plus concentré sur les messages que délivre le programme. Ensuite, votre enfant devra s'installer seul à son bureau et lancer son logiciel. Mais vous continuerez régulièrement de participer à ses activités pour vérifier qu'il comprend bien.

Sachez en tout cas que vous n'avez pas besoin d'avoir vous-même de connaissances informatiques pour accéder à ces manipulations très simples, et n'ayez surtout pas peur de participer à la découverte du programme avec votre enfant.

Les premiers logiciels sont très importants pour aider la latéralisation. Grâce aux flèches du clavier, votre enfant exerce son repérage dans l'espace. Il découvrira le pays du savoir, recevra son score et pourra s'évaluer pour progresser. En même temps, il ne connaîtra pas de sensation d'échec. Il est aidé tout au long des exercices, car la plupart des logiciels se règlent par étapes en fonctions des réponses. Mais mon expérience m'a montré combien il est indispensable, je ne saurais trop le répéter, de partager ces apprentissages. L'ordinateur ne remplace pas votre présence.

Vous pouvez découvrir encore mieux les capacités de votre enfant grâce aux critères pédagogiques proposés par certains programmes, détaillant son travail selon qu'il lit, par exemple, de façon plus visuelle ou plus auditive et selon ses capacités de mémorisation, ses productions écrites, ses qualités d'observation et de reproduction. Ainsi les logiciels pédagogiques vous aideront à discriminer entre mémoire visuelle et mémoire auditive, et à mieux connaître la pédagogie la plus adaptée à votre enfant pour sa concentration.

Par contre, les *jeux vidéo* sont rarement utilisés avant l'âge de 5-6 ans. Vous avez vu qu'ils déclenchent parfois une concentration négative. Aussi ne je trouve pas qu'il faille en encourager la consommation à cet âge.

De 6 à 9 ans

Votre enfant est déjà un véritable « mondionaute » : après son entrée dans le monde à la naissance, ses premiers pas à la crèche, puis la grande aventure sur les terres de la maternelle, le voilà plongé dans l'univers des classes à chiffres : 10e, 9e, 8e, 7e qui portent aujourd'hui des noms à sigles : CP, CE1, CE2, CM1, CM2. Dans cet univers, votre enfant découvre celle qui deviendra son guide, son instructeur, sa référence, son exemple et son censeur, c'est-à-dire son institutrice (ou plus rarement son instituteur). Elle (ou lui) et votre enfant ont besoin de vous. Vous avez alors souvent tendance à privilégier sa lecture, en cessant de raconter des histoires, surtout s'il s'agit de votre deuxième ou troisième enfant. Or nos quatre vérités : jouer, raconter, parler et lire vont devoir être adaptées à ce nouveau monde parallèle, mais pratiquées avec talent, elles restent à égalité pour favoriser la concentration et donc le bonheur d'apprendre.

Ses jeux pour se concentrer en groupe

La *maison de poupée* et *la poupée mannequin* permettent à la petite fille de partager ses rêves avec ses amies en créant de vrais psychodrames. Elle reprend vos expressions et mime des scènes qui l'aident à comprendre ses problèmes. Vous n'entrerez pas trop dans ce jeu : ce serait indiscret, car il permet à votre petite fille de livrer ses émotions profondes. Vous pouvez, par contre, lui apprendre à ranger ses poupées mannequins, les vêtements et les accessoires, les périodes de rangements à deux étant une excellente école de concentration, comme nous l'avons vu.

Les maquettes sont plus ou moins prisées selon les garçons. Ce sont les plus concentrés qui, bien sûr, par-

197

viennent à construire seuls des modèles compliqués. Si votre enfant a du mal à réussir et s'impatiente, choisissez avec lui un modèle simple – je dirais même « trop simple » – pour son âge ; et restez à ses côtés pour le guider et lui apprendre à faire un travail soigné. Si l'exercice n'a pas été trop difficile, si vous l'avez encouragé, il demandera un modèle un peu plus long à construire. Lire les instructions, faire le montage dans l'ordre, embellir l'avion ou le bateau selon les indications sont autant d'opérations nécessitant une grande concentration. Soyez présent sans faire les choses à sa place ; ne le découragez pas s'il a des difficultés, admirez le résultat. Un fois le navire construit, vous pourrez peut-être chercher avec lui l'époque, les batailles auxquelles il a pu participer.

Le calendrier installé dans sa chambre vous permet d'enrichir sa notion du temps.

À table, en voiture... lui parler, l'écouter

Si vous conversez avec votre enfant, en particulier à table, si vous lui racontez votre vie, si vous l'interrogez sur ses amis, les vôtres, si vous commentez les événements survenus dans la journée, vous exercez sa concentration. L'idéal est de le faire participer dès 6 ans aux dîners d'amis, dans la mesure où il ne se couchera pas trop tard. Suivre la conversation des adultes est un excellent stimulant. Les enfants qui dînent souvent seuls avec une nounou, avant l'arrivée des parents et vivent leur vie « à part », se concentrent moins bien que ceux qui participent à la vie sociale de leurs parents.

Continuez de raconter, bien qu'il sache lire

À mesure que l'enfant grandit, trop de parents abandonnent le rite de l'histoire que l'on raconte le soir.

Comme l'enfant commence à déchiffrer ses livres de lecture, on se dit qu'il vaut mieux le laisser lire seul. Or, Daniel Pennac l'a très bien montré dans son livre *Comme un roman*, il faut continuer de raconter des histoires aux enfants le plus longtemps possible, au moins jusqu'à l'entrée en sixième et même plus tard encore, comme nous le verrons à la fin de ce livre. Ce n'est pas parce que votre enfant sait lire – ou plutôt déchiffrer – les signes, et comprend quelques phrases, qu'il faut cesser de lui lire des histoires. C'est en racontant que vous lui donnez encore plus l'amour de la lecture et que vous l'aidez à se concentrer. Vous pouvez maintenant enrichir son vocabulaire. À partir de 6 ans, il peut soutenir son attention pendant une lecture continue de quinze à vingt minutes. L'idéal est de prendre son temps, de laisser l'enfant faire diversion, de lui donner des explications, de broder à votre façon sur l'histoire en captant son intérêt de telle sorte qu'il y porte toujours cette attention palpitante qui exerce sa concentration.

Vive la lecture sauvage !

Maintenant votre enfant commence à savoir lire. Quelle promotion !

Lire en toutes occasions ! Dans la rue, sur les affiches et les publicités, dans le bus, dans les supermarchés, autour de lui, autour de vous, la lecture doit faire partie de sa vie.

À la maison, tout est bon pour s'exercer à lire. Par exemple, le dos du paquet de corn-flakes sur la table du petit déjeuner, le prospectus glissé dans la boîte aux lettres, les titres du journal, la marque de son nouveau tee-shirt.

Vivre dans la maison des livres. S'il vous voit lire, d'abord des magazines, puis des livres, s'il y a des encyclopédies et des dictionnaires autour de lui, des livres

199

simples autant que des livres compliqués, le tout à portée de la main, votre enfant sera plus attiré par la lecture que s'il vit dans une maison où il n'y a aucun livre et où trône seulement la télévision.

Jouer à lire. Amusez-vous avec lui à « trouver » dans le texte les mots qu'il connaît bien, à reprendre dans ses histoires préférées ce qu'il peut lire tout seul, à lui demander de vous aider au supermarché pour trouver le rayon des desserts en lisant les indications.

Lire utile. Mettez-le à contribution :

« Peux-tu lire la recette du gâteau pour voir si nous avons bien tout ce qu'il faut ? »

« Vérifie sur la liste des courses si je n'ai pas oublié le sucre. »

« On joue : c'est toi qui lis la règle du jeu... »

« Je crois qu'il y a un dessin animé à la télévision. Veux-tu regarder sur le programme à quelle heure et sur quelle chaîne il est diffusé ? »

Mais surtout, lire à deux voix. Vous lui lisez une histoire mais vous le laissez lire une phrase de temps en temps, puis chacun une page sur deux ; vous vérifiez qu'il a bien compris, vous l'aidez lorsque vous le voyez hésiter sur un mot, vous soulignez le sens de l'histoire.

En prenant goût à la lecture, votre enfant devient ainsi plus autonome. Sans vous extasier de façon exagérée, vous pouvez souligner ses progrès. Grandir, c'est plutôt stimulant.

Vous allez pouvoir maintenant jouer à partir de ces histoires. Voici quelques exemples d'exercices qui vous montrent comme il est possible de tirer le meilleur parti histoires et des films préférés de votre enfant. Favoriser sa concentration en toute occasion est un état d'esprit.

Se concentrer sur les lettres

1) Quand Aladin dit :
« LAVOIR », Jafar répond « VALOIR ».
2) Quand il dit « NICHE », Jafar répond « CHIEN ».
3) Quand il dit « AVEC », Jafar répond « CAVE ».
Quel mot a dit Aladin pour que Jafar réponde
« MIRAGE » ?
a) MARIAGE b) MAIGRE c) IMAGE
Réponse : maigre.

Se concentrer sur les ensembles de chiffres

Voici le test classique des opérations incomplètes qui peut être utilisé pour tout âge dès que votre enfant sait additionner (en général à partir de 7 ans).

Ces exercices vont développer la capacité d'abstraction.

Additionne : $\quad 4 \bullet 3$
$\qquad\qquad 1\ 7 \bullet$

résultat $\qquad \overline{\bullet\ \bullet\ \bullet}$

chaque • représente un chiffre.

Vous pouvez exercer votre enfant à se concentrer mais lui faciliter la recherche du résultat : (le nombre finit par 9 ou fait partie de la liste des 3 nombres : 508, 619, 1232, etc.).
Réponse : 619.

Se concentrer sur le sens des mots

Je vais d'abord te proposer quatre phrases.

Remplace le mot en gras par l'un des mots proposés, *sans changer le sens de la phrase.*

Réponds en entourant le mot choisi.

a) Aladin **possède** une lampe magique.

- il veut
- il a
- il manque
- il doit
- il achète

Réponse : a.

b) Picsou a **joué** au loto

- misé
- remporté
- coûté
- emprunté
- perdu

Réponse : misé.

c) Tigrou **met** 100 grammes de miel dans le pot de Winnie

- augmente
- diminue
- enlève
- mange
- ajoute

Réponse : ajoute.

Se concentrer sur le vocabulaire

1) Entoure le mot que Pierre lit dans la grille (c'est un mot de quatre lettres, c'est aussi un animal).

sachet	chaise
boîte	noire
chat	chien
foule	tortue
bois	bébé

Réponse ? chat.

2) Tu connais les histoires de la Belle au bois dormant et des 101 Dalmatiens ? Encadre dans chaque nom la syllabe qui fait comprendre la méchanceté de
 − MALÉFIQUE
 − CRUELLA

Se concentrer sur les noms propres

1) Les intrus chez le Roi Lion : après avoir raconté l'histoire, demandez à votre enfant d'entourer le mot qui ne devrait pas figurer dans cette liste.

SIMBA-RAFIKI-MUFASA-NALA-
SCAR-ZAZU-SHENZI

Comment as-tu trouvé ?
Réponse : Shenzi n'a pas de A.

Exercer sa concentration visuelle

Au musée : exercez la concentration de votre enfant en achetant une série de cartes postales de trois peintres. Puis emmenez-le dans les salles où sont exposées les œuvres... et demandez-lui de chercher les tableaux qui correspondent aux cartes. Vous serez étonné de voir votre petit se passionner et retenir définitivement l'œuvre et le style de ces peintres. À condition de choisir au maximum trois artistes. Lorsque ceux-ci sont parfaitement connus, vous pourrez en introduire deux autres et ainsi de suite, petit à petit.

N'oubliez jamais que trop d'informations à la fois brouillent les circuits de la concentration...

De 9 à 11 ans

Les quatre vérités restent toujours valables : jouer, parler, raconter et lire sont plus que jamais propices à la concentration. Mais nous devons adapter notre méthode à cette tranche d'âge.

Des jeux de plus en plus intellectuels

Naturellement le choix des jeux est maintenant déterminé par les goûts de votre enfant. Pour exercer sa concentration, vous tenterez de réserver au moins chaque semaine deux ou trois heures à un jeu de société en commun avec ses frères et sœurs, ses amis et la famille. Vous connaissez les grands classiques et vous trouverez de nombreuses idées complémentaires grâce aux indications en p. 229.

Quelques principes :

– Avant de jouer au *Scrabble* pour adultes, n'hésitez pas à passer d'abord par le Scrabble d'enfants afin d'éviter de le mettre en échec.

– Si vous rassemblez la famille devant *le Monopoly*, le jeu des *1 000 Bornes*, les jeux basés sur l'histoire, la géographie, l'art, n'hésitez pas à donner des handicaps aux autres joueurs en sorte que votre enfant puisse gagner sans... tricher ! Dans ces conditions, ces jeux lui apportent une mine d'informations. Certains l'exercent à se concentrer sur les grandes inventions et les grandes découvertes qui ont marqué notre temps.

Le *Scargouli* est une sorte d'escargot inventé par une grand-mère professeur de français qui a créé ce jeu drôle et rapide pour que grammaire rime avec plaisir.

Les Incollables sont des classiques pour apprendre à jouer avec ses connaissances.

Pour exercer sa concentration visuelle, certains *jeux de logique* qui imposent à l'enfant une reconnaissance très rapide des formes, des couleurs, des nombres et du graphisme. Il peut être déjà performant aux *jeux de stragtégie* (échecs et dames).

Les jeux de *chimie* et de *biologie* permettent des expériences amusantes et simples à réaliser pour faire des découvertes sur l'eau, la lumière, les cellules. Fabriquer un « camion à friction » ou un « avion à hélice », grâce aux matériaux et aux maquettes, implique une bonne concentration : je vous conseille de vous y atteler à côté de l'enfant pour l'aider ; mais ne faites jamais rien à sa place. Un microscope avec un livre initiant à la découverte des cellules végétales peut être intéressant à condition que vous y participiez au début.

On trouve des *coffrets de magie et des tours de cartes* dans les catalogues que je vous indique à la fin du livre. Encouragez votre enfant à monter un spectacle en apprenant les tours ; c'est un excellent exercice de concentration, car le plaisir d'épater le public le poussera à comprendre exactement les manipulations, à les retenir, et à ne pas se laisser distraire par les spectateurs.

L'astronomie passionne les enfants. Lequel ne vous a pas demandé si vous saviez reconnaître la Grande Ourse ? Une carte du ciel vous permettra de lui répondre. Un télescope pourra même permettre à papa et son fils de partager l'admiration des cratères de la lune lors des soirées d'été.

Raconter encore, toujours

Bien que votre enfant sache maintenant bien lire, vous continuerez pendant tout le cursus d'école primaire à lui raconter des histoires tous les soirs. J'ai recherché le point commun à l'éducation des plus grands écrivains. Je pensais découvrir qu'ils avaient une mère passionnée d'écriture, ou de grammaire, une lettrée... Pas du tout ! Certaines étaient de très modestes paysannes, ouvrières... Mais toutes, oui, toutes, étaient de merveilleuses narratrices. Parfois même analphabètes, elles racontaient longuement, chaque soir, de belles histoires à leur enfant.

Ainsi restait-il imprégné pour sa vie de la passion des mots...

Vous pourrez maintenant choisir des contes plus compliqués, que vous trouverez dans le livre *Mille ans de contes* dont je vous donne la référence p. 228 : Le Cheval de Troie, la Fondation de Rome, Dédale et Icare, Orphée, Pandore, la Reine des Neiges, la Sorcière du Placard aux Balais, le Canard et la Panthère, le Vaillant Petit Tailleur...

Rechercher ses lectures-plaisirs

Votre enfant commence à constituer sa bibliothèque. Inscrivez-le à la bibliothèque municipale, non seulement il pourra y trouver les livres de son choix, des bandes dessinées aux romans d'aventures, mais il pourra y rencontrer ces merveilleuses bibliothécaires qui vous donnent souvent la passion de lire !

Ne l'obligez jamais à lire un livre parce qu'il vous a plu dans votre enfance. Il est rare que la même lecture intéresse deux générations différentes, il risquerait de se sentir fautif en vous décevant.

Il arrive souvent que votre enfant bute sur un roman qu'il avait pourtant choisi ! Ne lui en faites pas reproche, ne le laissez pas enfermé dans cette lecture-corvée, pas plus que vous ne devez le laisser tout un repas devant une assiette pleine d'un aliment qui le rebute ! Dites-lui que tout le monde peut se tromper et qu'il faut vite choisir un autre sujet.

Apprenez-lui le respect des livres, donnez-lui un marque-page pour ne pas écorner les feuilles ; et veillez à ce qu'il rapporte dans les temps tout livre emprunté. Donnez-lui le même respect pour ses manuels scolaires...

S'il est plutôt sportif, n'hésitez pas à compléter son talent physique par une lecture plaisante pour lui, à l'abonner éventuellement à *L'Équipe*. Vous trouverez aussi des livres concernant l'équitation, le football ou le tennis.

Votre enfant peut être abonné à ses propres journaux comme *Je bouquine* ou *Le Journal des enfants*. Si vous lisez vous-même un journal, il est intéressant de temps en temps de commenter un article qui peut le concerner : critique d'un film, enquête sur les collégiens, article de réflexion sur le travail des enseignants, sur la vie d'un grand sportif ou d'une chanteuse... Ce serait une erreur de considérer que le domaine des enfants doit être entiè-rement séparé du domaine des adultes et que nos préoc-cupations doivent toujours être différentes, car la transition sera difficile au moment de la puberté. Votre adolescent risque encore plus de se retrancher dans un monde à part, loin du vôtre et de vos valeurs.

Je le répète, tout ce qui se lit est bon à lire.

Le journal télévisé, école de concentration

Je ne suis pas de ceux qui pensent qu'il ne faut jamais regarder le journal télévisé avec ses enfants. Lorsque se produit un événement qui peut avoir une portée sur l'éducation civique, il est facile de commenter un petit reportage de deux minutes vu dans le journal télévisé. Nous avons souvent des scrupules à soumettre nos enfants à des images violentes qui attristent la planète. Mais si vous voulez transmettre vos valeurs, habituer l'enfant à regarder la télévision en se concentrant et non pas de façon passive, le journal télévisé est une excel-lente occasion. On peut y découvrir les méfaits d'une tempête et donner quelques notions sur le temps : qu'est-ce qu'un cyclone ou un anticyclone ? Donner des notions de géographie en cherchant sur le globe terrestre où est le pays ravagé par ce cyclone. Vous pouvez encore lui expliquer les phénomènes géologiques, comme un tremblement de terre. Lorsqu'il s'agit de guerres, vous commencerez à expliquer les causes ou les conséquences des guerres, les luttes pour le pétrole ou pour une identité ethnique, apprendre ainsi à votre enfant à réfléchir devant le spectacle du monde. Vous aurez alors plus de facilité à l'entraîner devant des émissions intéressantes. Je ne saurais trop vous recommander actuellement les émissions de la cinquième chaîne, qui ont un réel intérêt pédagogique. C'est ainsi que vous préparerez votre enfant ensuite aux grandes émissions que vous pourrez partager ensemble de 11 à 13 ans, comme nous allons le voir plus loin. Grâce aux conseils que je vous ai donnés p. 142, la télévision peut devenir l'occasion de se concentrer en se cultivant.

Multimédia, multi-concentration

Les logiciels pédagogiques continuent d'avoir un grand intérêt, aussi bien pour la culture générale, l'apprentissage de l'orthographe, de la grammaire, des mathématiques et de l'anglais.

Si vous avez habitué votre enfant à l'ordinateur, comme je vous ai conseillé de le faire depuis le début, continuez de partager ses progrès ; mais vous constaterez qu'il est de mieux en mieux concentré, de plus en plus autonome. À l'école, il a des facilités.

Si, par contre, vous prenez ce livre en main alors que votre enfant a maintenant 9 ans, il est toujours temps de l'initier à la manipulation de l'ordinateur en respectant bien les principes que je vous ai donnés. Soyez plus présents à ses côtés et veillez toujours au caractère ludique des séances de logiciels, même pédagogiques, en évitant de dépasser ses possibilités de concentration.

C'est l'âge de la passion pour les jeux vidéo. Attention à éclairer ses choix et à en contrôler l'usage, comme nous en avons longuement parlé.

Mes exercices de concentration

Je vous rappelle que ces exercices sont des exemples qui vous montrent comment tirer le meilleur parti pour la concentration, des héros des films favoris de votre enfant.

Se concentrer sur sa poésie

Apprenez à votre enfant comment se concentrer pour retenir ses poésies. Voici la méthode la plus efficace :

Lisez d'abord le poème avec lui et vérifiez qu'il l'a compris. Une fois que chaque mot et que le sens général du poème sont bien assimilés, l'enfant le lit en entier en imaginant qu'il le récite à la classe.

D'abord silencieusement, puis à voix haute.

Ensuite, il apprend par étapes :

Lis une ligne, ferme les yeux et répète-la.

Si tu la sais, passe à la ligne suivante, sinon relis et répète encore.

Lorsque tu sais parfaitement deux lignes, tu continues la troisième. Ainsi de suite jusqu'à huit lignes, puis tu les révises entièrement.

Tu caches le texte et tu récites seulement à nouveau la première ligne.

Tu découvres la ligne et tu soulignes les erreurs au crayon.

S'il y a plus de deux erreurs tu reprends au début.

Si tu as réussi, tu passes aux lignes suivantes avec la même progression.

Tu récites ensuite tout ton poème à l'un de tes parents et tu le récites encore le lendemain matin, sur le trajet de l'école par exemple.

Se concentrer sur le sens des mots

1) *Les 101 Dalmatiens.* Nanny décide de faire des galettes des rois.

Dans une galette, on peut couper 8 parts.

Complète les phrases suivantes en choisissant, parmi les mots proposés, celui qui convient. Ne fais aucun calcul.

L' .... de la famille est de 101 Dalmatiens.

Combien de galettes faut-il .... ?

nombre / effectif / dépenser / écart / confectionner.

2) *Blanche-Neige.* La distance de la mine à la maison est de 2 kilomètres de route en forêt, puis de 700 mètres par un petit chemin.

Quelle .... les nains doivent-ils .... ?

temps / distance / vitesse / chronomètre / parcourir / peser.

3) *Winnie l'Ourson.* Complète la phrase suivante en choisissant, parmi les mots proposés, celui qui convient. Ne fais aucun calcul.

Pour remplir son pot de miel, Winnie verse 27 louches de 15 ml.

Quelle quantité de liquide ce pot ....-t-il ?

coûte / achète / diminue / contient / consomme.

4) *Aladin.* Complète les phrases suivantes en choisissant, parmi les mots proposés, celui qui convient. Ne fais aucun calcul.

Le tapis volant .... une distance de 15 km en une heure. Combien de temps lui faudra-t-il pour effectuer un trajet de 45 km ?

roule / trajet / parcourt / économise / vend.

5) *Cendrillon.* Entoure le mot qui a *le même sens* que celui qui est en gras.

Du maïs plein la bouche, plein les bras et jusque dans leurs bonnets, les souris **filent** se mettre à l'abri.

glissent / reculent / tremblent / courent / rampent

6) Entoure le mot qui a *le sens contraire* de celui qui est en gras.

La nuit, la température dans la forêt est **inférieure à** 0 degré.

plus petite que / sous / proche de / supérieure à / différente de.

Se concentrer sur la logique

Pour son goûter de la semaine, Winnie a le choix entre : un croissant, un pain au chocolat, une tartine de miel, un flan ou une tartelette.

Le lundi, il peut choisir entre un croissant et un flan ; le mardi entre un croissant et une tartine de miel ; le mercredi entre un pain au chocolat et une tartine de miel ; et le jeudi entre une tartelette et un croissant.

➤ Si Winnie mange un croissant, quel sera son deuxième aliment du vendredi, sachant qu'il ne prend jamais deux fois le même goûter dans la semaine ?

Réponse : un pain au chocolat.

Se concentrer sur les phrases clés

Aladin
Qui a dit...
Entre 1) Jafar, 2) Jasmine, 3) le Génie, 4) le Sultan, retrouve qui a dit chacune de ces phrases :

A – « Tu as droit à trois vœux et je t'obéirai. »

B – « Ma fille renvoie tous ses prétendants, que puis-je faire ? »

211

C – « Si je me marie, je veux que ce soit par amour. »
D – « Je veux être le sorcier le plus puissant de la terre ! »
1D – 2C – 3A – 4B.

Se concentrer sur les chiffres

1) Peter Pan et ses amis
L'âge des enfants :
Bonjour ! Je m'appelle Michel et je me promène toujours avec mon nounours. J'ai un frère aîné, Jean, âgé de 10 ans, et une grande sœur, Wendy. Wendy a 2 ans de plus que Jean. À nous trois, nous avons 25 ans.
Trouve l'âge de Wendy et de Michel.
Réponse : 12 ans et 3 ans.

2) Bambi
Pan Pan le lapin saute de pierre en pierre pour traverser la rivière. Il peut faire des petits sauts ou des grands sauts.
Voici un code :
A3 veut dire que Pan Pan a fait un bond de trois pierres vers l'avant.
A1 veut dire qu'il a fait un bond d'une pierre vers l'avant.
Réponds aux questions suivantes :
– Combien saute-t-il de pierres en tout d'après les codages suivants ?

A5	A4	A6	il saute	pierres.
A7	A5	A1	il saute	pierres.
A2	A2	A4	il saute	pierres.
A4	A6	A5	il saute	pierres.

Que remarques-tu entre le premier et le dernier codage ?
Réponse : Pan Pan saute 15 pierres dans les 2 cas.
Si Pan Pan saute comme l'indique le code suivant :

A6   A4
Combien de pierres saute-t-il en tout ?
Il aurait pu aussi faire un saut   A10
Donc A6   A4   =   A10
Quel saut unique remplace les sauts suivants :
A3   A7   A6   A4   ...
Réponse : A20.

3) Je pense à un nombre de deux chiffres :
Le chiffre des dizaines est plus petit que celui des unités.
Si j'additionne les deux chiffres de ce nombre, je trouve 17.
Le nombre auquel je pense est :
Réponse : 89.

4) Je pense à un nombre de trois chiffres croissants des centaines aux unités.
Si j'additionne les trois chiffres de ce nombre, je trouve 24.
Devine le nombre auquel je pense : ....
Réponse : 789.

5) Quel nombre ne devrait pas figurer dans cette liste ?
Entoure-le.
8   35   62   80   54   116   503
Explique pourquoi.
Réponse : la somme des chiffres du nombre est 8 sauf pour 54.

Se concentrer sur la déduction

En quelle langue ?
Dans un autobus :
Quatre personnes parlent français,

Quatre personnes parlent anglais,
Quatre personnes parlent chinois,
Quatre personnes parlent italien.
Pourtant, il n'y a que quatre personnes dans l'autobus.
Résous cette énigme.
Réponse : chaque personne parle les quatre langues.

De 11 à 13 ans

C'est la dernière ligne droite pour sa concentration : ce que vous n'avez pas mis en place dès les premières années peut encore s'organiser. Nous avons vu que le cerveau est « plastique » jusqu'à l'adolescence. Mais vous devrez être d'autant plus mobilisé auprès de votre enfant qu'il est plus grand. Il vous faut être disponible et diplomate. Si les enseignants se plaignent de troubles de concentration, le jeu en vaut la chandelle ! Surtout ne le houspillez pas, ne lui faites pas de cours de morale sur les efforts qu'il devrait faire pour se concentrer. Relisez attentivement mes conseils du chapitre 6.

Voici les jeux et les exercices qui vous aideront.

Échecs et réussites

Le **jeu d'échecs** est l'un des meilleurs exercices de concentration. Mes conseils :

– si votre enfant n'y a pas encore été initié, le meilleur moyen de le convaincre est de l'inscrire à des leçons avec l'un de ses amis ;

– si vous savez jouer, ne vous moquez pas de ses erreurs stratégiques ;

– ne pensez pas qu'un logiciel d'échecs entraînera un enfant qui n'aurait pas envie de s'y mettre. C'est l'amitié et la convivialité humaine qui sont motivantes. Le logiciel est trop solitaire. Se concentrer en compagnie d'un ami, en réponse à un ami, voilà la magie du jeu d'échecs.

D'autres jeux stimulent la concentration, que votre enfant préférera peut-être :
- le jeu de *dames ;*
- le *backgammon ;*
- le *Monopoly,* le *Scrabble* (maintenant vous pouvez utiliser le Scrabble pour adultes) ;
- les jeux de cartes : c'est le moment de lui apprendre la *belote,* le *rami* et les rudiments du *bridge* ou du *tarot.*

Vous trouverez de nombreux jeux de société passionnants dans mes références, p. 228.

Lui parler de vous

La concentration s'exerce toujours dans la vie courante et en particulier lors des conversations à table. J'espère que vous avez bien organisé votre vie, de façon à partager le plus possible de repas familiaux. Je pense qu'il faut demander aux enfants de ne pas se lever de table à partir de 9 ans, tant que les parents y sont. Cela exerce votre enfant à se concentrer sur la conversation des adultes. Encore faut-il que celle-ci soit intéressante et adaptée à son niveau de compréhension. N'hésitez pas à raconter les événements de votre vie professionnelle. Nous, les parents d'aujourd'hui, avons beaucoup trop tendance à confier à nos enfants nos problèmes, nos soucis financiers, à leur parler de nos impôts et non de ce qui est intéressant dans notre travail, auquel pourtant nous tenons tant. On a trop dit qu'il ne fallait pas parler de son métier à la maison : conséquence, nous ne parlons finalement que de nos soucis. Si, par contre, vous expliquez ce qui vous plaît dans votre profession, ce que vous avez fait dans la journée, ou si vous commentez les événements du monde, si vous racontez quelques anecdotes survenues à vos amis ce jour-là, tout en posant des questions sur sa propre journée d'école et sur ses copains, alors le repas sera un excellent moment, à la fois de concentration et de détente.

Bouillon de culture

La plupart des parents déplorent aujourd'hui que, entré au collège leur enfant ne se concentre pas sur ses lectures. Certes, il est plus facile d'appuyer sur le bouton de la télévision, d'actionner console vidéo où le monde des images vient à lui, que de lire un livre dont les trésors sont cachés entre les pages. Car sa lecture n'est pas encore très rapide, il bute sur certains mots même s'il se débrouille. Mais si vous avez suivi ma méthode et mes conseils depuis le début, je pense que votre enfant a du plaisir à lire.

Mes conseils pour qu'il aime se concentrer sur ses livres

Pour donner à votre enfant le goût de la lecture, respectez donc les principes suivants :

– Réservez-lui des plages libres dans la journée ou la soirée, pour lire. Car la lecture prend du temps et peut-être n'en a-t-il pas beaucoup entre la classe, les leçons, la piscine, les entraînements de foot, la flûte et les copains.

– Ne le laissez pas en panne sur un livre. Il peut être bloqué sur un sujet qu'il trouve ennuyeux. Il peut l'avoir mal choisi. Ou, tout simplement, l'histoire n'est pas très captivante. Tout le monde peut se tromper. Un livre, ça s'abandonne !

– Ne l'obligez donc pas à finir une lecture qui l'ennuie. Il y a tant de belles histoires à lire par ailleurs ! En revanche, suggérez-lui de sauter des passages. Certains romans se révèlent passionnants au bout de cent pages.

– Continuez de lui lire des histoires. Il y a un décalage entre ce que votre enfant peut déjà lire tout seul et la multitude des sujets qui l'intéressent. Ce n'est pas le moment de cesser de lui lire des livres sous prétexte qu'il « sait lire ». Il écoutera avec plaisir des histoires un peu compliquées qu'il aurait du mal à lire seul.

– Prenez le temps de lire « pour vous ». Peut-être manquez-vous de liberté entre les enfants, le travail, la maison ? Impossible de tout faire lorsqu'on vit avec un chronomètre à la main. Et ce sont parfois les pauses-lecture à soi qui disparaissent. Or l'enfant vous imite. S'il vous voit lire, il y a de grandes chances qu'il cherche une lecture.

– Soyez patient. Donnez du temps à votre enfant, le goût de lire n'est pas immédiat.

– Si votre enfant ne lit pas, ne le forcez pas. Vous risquez de le dégoûter à vie. Et puis il y a des gens très bien qui ne lisent jamais ! Mais peut-être pouvez-vous lui montrer l'exemple...

– S'il est fou de sport ou de musique, achetez-lui des magazines sportifs ou des livres sur le rock. Sa curiosité viendra sûrement à bout de ses a priori sur la lecture.

– N'établissez pas de hiérarchie entre les romans, les bandes dessinées, les magazines et les documentaires. Ces types de lecture mènent souvent les uns aux autres.

– Respectez ses choix, même s'ils vous paraissent peu dignes d'intérêt. La science-fiction, les thrillers, les romans d'amour sont aussi de la lecture !

– Ne vous angoissez pas s'il ne lit que des romans pour la jeunesse. Il n'est sans doute pas prêt encore pour aborder la littérature générale. Et puis, on trouve de très bons textes en littérature de jeunesse !

– N'essayez pas de lui imposer les romans que vous avez adorés dans votre enfance. D'abord, parce qu'il n'a pas forcément les mêmes goûts que vous. Et puis, à l'âge

217

de la rébellion, il y a fort à parier qu'il détestera justement le livre que vous avez aimé.

– Ne remplacez pas son professeur de français en lui
faisant lire des classiques. Celui-ci lui en impose sans
doute déjà. Proposez-lui des histoires plus distrayantes.

– Continuez la lecture en commun pour ses livres
d'école. C'est un excellent exercice de concentration,
n'en déplaise aux professeurs qui rêvent toujours que les
enfants fassent leur travail seuls. Il faut tenir compte de
ce que, souvent, les livres proposés en classe sont d'un
niveau tout de même difficile, un peu trop classiques et
abstraits pour les enfants d'aujourd'hui.

– Intéressez-vous à ses lectures. Vous serez peut-être
séduit... et vous pourrez en discuter avec lui.

– Fréquentez les bibliothèques, les librairies... et laissez-le choisir selon ses goûts.

Cette télévision au double visage

Elle peut être un instrument :

– de déconcentration, si votre enfant regarde des sit-
coms, des films stupides, violents, ou dépasse le nombre
d'heures que je vous ai indiqué ;

– ou un formidable instrument de concentration si
vous savez attirer son attention vers des émissions cultu-
relles, du type « La marche du siècle » « Public » ou
« Bouillon de culture », certaines émissions historiques
ou médicales, des émissions sur la mer ou des feuilletons
inspirés des grands écrivains. Mais il ne faut pas rebuter
votre enfant en le forçant. Essayez de sélectionner ces
émissions, de les enregistrer, proposez-lui d'en regarder
juste le début, commentez la discussion : il est rare alors
qu'il « n'accroche pas »... Choisissez des thèmes qui ont
une chance de le concerner, des thèmes qui intéressent
les jeunes.

218

L'ordinateur : plus fort que Super Mario !

L'ordinateur est toujours à mes yeux un instrument fondamental pour la concentration. Les logithèques des grandes librairies vous offrent des logiciels pédagogiques très variés. Si votre enfant n'en a pas encore l'habitude, installez-vous à côté de lui et n'hésitez pas à vous y consacrer régulièrement pour entraîner sa concentration sur les exercices.

Mes conseils concernant l'ordinateur dans les chapitres précédents restent bien sûr valables à cet âge.

Votre enfant doit apprendre à en maîtriser l'usage ; à manier le traitement de textes ou les logiciels pédagogiques, et non à se jeter dans la consommation effrénée des jeux vidéo. N'oubliez pas que les jeux vidéo sur lesquels il semble se concentrer si facilement peuvent lui apporter une concentration négative s'il en abuse ou si le jeu est trop violent.

Contes et comptes : mêmes mécanismes

Ces exercices sont des exemples qui vous montrent comment tirer le meilleur parti, pour la concentration, des héros, des livres, et des films favoris de votre enfant.

Se concentrer avec le sens des mots

1) Entoure le mot qui a *le même sens* que celui qui est en gras :
L'oncle Picsou **a réalisé** de gros bénéfices cette année.
a retranché / a perdu / a obtenu / a usiné / a possédé.

2) Picsou est satisfait de **sa nouvelle acquisition**.
son nouvel achat / son nouveau travail / son nouveau calcul / son nouveau compte.

3) Pour chaque phrase, entoure le mot qui a *le sens contraire* de celui qui est en gras.

Marie a acheté son fauteuil **à crédit**.

au magasin / normal / trop cher / au comptant / en promotion.

4) La différence de taille entre Grincheux et Atchoum est de 5 centimètres **au plus**.

au minimum / environ / au maximum / à peu près / tout juste.

Se concentrer avec les mathématiques

1) Le palais de Jasmine

Le plus grand palais des contes est celui où vit Jasmine. Il emploie 220 serviteurs. Le palais, où vivent 40 membres de la famille princière, sert 3 repas par personne chaque jour. Quel est le nombre de repas servis dans ce palais ?

Coche la ou les informations correspondant aux renseignements utiles pour calculer la réponse :

A) 40 membres de la famille princière vivent dans ce palais.

B) Le palais emploie 220 serviteurs.

C) Le palais est celui de Jasmine.

D) Le palais sert 3 repas chaque jour.

Réponse : A – B – D.

2) Le trésor d'Ali Baba :

Ali Baba entre dans la caverne. Elle est pleine de pièces d'or et de pièces d'argent ! Il aimerait bien savoir combien représente ce trésor...

En tout, le coffre compte 84 pièces.

Il y a trois fois plus de pièces d'argent que de pièces d'or.

Une pièce d'or vaut quatre pièces d'argent et une pièce d'argent vaut 25 francs.

Calcule à combien s'élève la fortune d'Ali !

A) Nombre de pièces d'or : ....

B) Nombre de pièces d'argent : ....

C) Valeur d'une pièce d'or : ....

D) Fortune d'Ali Baba : ....

Réponse : A21 – B63 – C100 – D3 675

3) La partie de cartes d'*Alice au pays des merveilles*.

J'observe les amis d'Alice qui jouent aux cartes et je m'amuse à essayer de prévoir quelle carte chacun va poser.

– Le premier lapin pose sur la table l'as de cœur.

Voici ce que posent les joueurs suivants :

– Le deuxième met le 2 de cœur.

– Le troisième le 4 de cœur.

– Le quatrième le 5 de cœur.

– Le cinquième le 7 de cœur.

– Le sixième le 8 de cœur.

Observe les cartes des quatre premiers lapins.

Que se passe-t-il entre le deuxième et le troisième joueur ?

Réponse : on saute une carte. De même entre le 4e et le 5e (le 6).

Que met le septième ?

Réponse : le 10 de cœur.

Le compte rendu de lecture : la meilleure méthode

C'est l'âge où les professeurs demandent des comptes rendus de lecture. Quelle souffrance si l'enfant n'y a pas été préparé ! Pour résumer un livre il faut mettre en place une stratégie d'analyse de texte dès son achat. C'est l'un des meilleurs apprentissages pour la concentration. Voici quelques clés :

– Établissez avec votre enfant un programme de lecture : la lecture doit être terminée bien avant la date de remise du compte rendu. Répartissez le nombre de chapitres en fonction du nombre de jours disponibles. Si la durée est insuffisante, prenez rendez-vous avec le professeur pour le lui dire. Si vous vous apercevez que votre enfant a décidé trop tard de débuter sa lecture, organisez néanmoins le planning en fonction du temps imparti et restez positive ! Mais dites-lui qu'il sera plus à l'aise la prochaine fois en commençant plus tôt.

– Prévoyez des rendez-vous réguliers où votre enfant pourra faire le point avec vous des difficultés qu'il a rencontrées.

– Réservez pour sa lecture un crayon et de petits Post-it.

– Notez sur un cahier qui restera près du livre ce qu'il doit faire à chaque étape de lecture.

– Commencez par une lecture commune du premier chapitre.

– Ensemble, relevez le sens du titre, la personnalité de l'auteur, faites-vous une idée globale à l'aide des préfaces, de l'introduction, de la table des matières, des têtes de chapitre, et en vous posant des questions sur la teneur du document.

– Apprenez-lui la lecture photographique : ne pas lire mot à mot mais photographier de larges éléments d'information (groupe de mots ou phrases). Bouger les yeux et non la tête.

– Visualisez ce qu'il lit sous la forme d'images ou de concepts.

– Revenez sur les passages soulignés pour bien les comprendre et dégager les mots clés qui aident à schématiser le texte. Lors du résumé, ces mots clés seront autant de jalons qui lui permettront de se remémorer les principales idées.

– Soulignez les mots difficiles, recherchez-en le sens.
– Marquez les pages intéressantes.
– Notez sur le cahier ces pages et leur sujet.
– Marquez les passages intéressants (I) ou essentiels (E).
– Entourez les dates et les faits importants en les plaçant sur une ligne chronologique.
– Relevez les noms d'États, de pays, de villes, de lieux et situez-les sur une carte.
– Schématisez le résumé à partir des différents éléments isolés (personnages, dates, lieux, mots clés).

Ensemble, vérifiez régulièrement les incompréhensions, les erreurs et les oublis.

Cette technique est valable pour les leçons, qu'il s'agisse d'histoire, de géographie, de science...

Se concentrer selon sa personnalité

La mémorisation d'un résumé ou d'un cours d'histoire fait intervenir la notion de chronologie et de spatialité. Cette activité sera donc appréhendée différemment selon que votre enfant est visuel ou auditif.

Si votre enfant est auditif, il comprend et réfléchit dans le cadre du temps et prend appui sur des repères chronologiques. Il mémorise ainsi facilement en procédant par étapes et par répétitions.

Si votre enfant est visuel, il a par contre une approche plus globale. Il n'a pas naturellement la notion de chronologie et de séquentialité. Pour lui, le temps doit être matérialisé dans l'espace. Il doit donc mettre en place une stratégie lui permettant de visualiser les étapes successives sous la forme de schémas, de graphiques, de frises chronologiques, et à l'aide de différents documents iconographiques.

Se concentrer pour savoir prendre des notes

Savoir prendre des notes pendant le cours favorise la concentration, facilite considérablement la compréhension et la mémorisation. On assimile mieux ce qui est écrit. Le simple fait de prendre des notes renforce notre motivation, notre attention et notre concentration en nous habituant à capter les idées principales énoncées par le professeur. C'est durant le cours et au moment de la prise de notes que se joue la part la plus importante du travail de mémorisation. Il importera ensuite de retravailler les notes afin de les rendre plus facilement assimilables.

Apprenez à votre enfant la meilleure technique de prise de notes, et relisez son cours le soir, même si la leçon n'est pas encore à apprendre. Une fois que cette éducation est mise en place, vous ne serez pas obligé de relire tous ses cours, je vous rassure...

Pour prendre des notes claires, votre enfant doit :

— titrer et dater d'avance toutes les pages du cours afin de pouvoir les classer. Réserver une marge importante pour pouvoir annoter ;

— noter l'essentiel : titres, mots clés, schémas, exemples ;

— utiliser des abréviations ;

— noter le plan, s'il est donné. Bien classer les titres par la taille des lettres et le souligné ;

— repérer les expressions qui indiquent le passage d'une idée à l'autre (d'autre part, par ailleurs...).

Après le cours, retravaillez avec votre enfant ses notes pour structurer clairement les informations. Complétez, faites apparaître l'organisation des données par des soulignés, des encadrés, des marques de couleur. Le fait même de mettre en ordre ses notes facilitera énormément sa mémorisation du cours. En faisant ce travail avec vous, il sera beaucoup plus concentré au cours suivant.

Je vous ai ainsi accompagné depuis les premiers mois de votre enfant jusqu'à son adolescence pour vous aider, dans la vie de tous les jours et avec un matériel simple et courant, à exercer les circuits neuronaux dont dépend sa concentration. Souvenez-vous bien qu'il n'est jamais trop tard, même si l'idéal est de commencer dès la naissance.

Votre matériel de base
pour sa concentration

Voici mes instruments préférés pour développer sa concentration selon les âges.

Avant 3 ans :

– *Des animaux de ferme.*
– Le catalogue de jeux éducatifs *Graine d'Éveil*.
– Les livres : *L'Abécédaire*, *Babar*, *Winnie l'Ourson*, *Mille Ans de contes* (Édition Milan).
– Ses abonnements : *Bambi*, *Popi*, *Toupie*.
– Ses vidéos : *Babar*, *Les Trois Petits Cochons*, *Dumbo*, *Winnie l'Ourson* de Walt Disney.
– un ordinateur avec ses premiers logiciels : Adi, Coup de pouce, Fisher Price, Hatier, Bayard.

À partir de 6 ans :

– Les jeux éducatifs : vous trouverez tout un choix dans le catalogue *Éveil et Jeux*.
– Ses livres : *Mille Ans de contes* ; les albums reprenant les films de Walt Disney (Hachette).

225

– Ses *abonnements* : *Le Journal de Mickey*, la collection « Pomme d'Api », *Astrapi*, *Je bouquine*.

– *Ses exercices* : aux éditions Retz : *Mes tout premiers jeux, Vers les nombres, Des trucs et des jeux pour une bonne mémoire*.

– Vous pouvez aussi commencer les premiers jeux des *Incollables* à partir de 3 ans.

Les vidéos :

Tous *les films de Walt Disney*.

Les Contes du chat perché.

Votre enfant peut s'initier à l'anglais, grâce aux vidéos de *Spot*, accompagnées du petit livret pédagogique bilingue proposant aussi des activités illustrées.

Vous pourrez continuer l'apprentissage de l'anglais grâce à *L'anglais en 6 vidéos-leçons*.

L'ensemble *Égyptiens et Pharaons* est un jeu rappelant celui des 7 Familles mais qui vous permet d'initier votre enfant à la culture égyptienne, aux hiéroglyphes, aux dieux d'Égypte et aux cérémonies. Vous pouvez y jouer en particulier lors d'un trajet en voiture. Voilà d'excellentes occasions pour faire de grands voyages tout en exerçant sa concentration.

Les maquettes à construire avec papa sont également un bon exercice, à condition de les choisir, comme toujours, bien adaptées au niveau de votre enfant.

Pour les logiciels pédagogiques, nous continuerons avec la série *Adibou* puis *Adi*, ainsi qu'avec ceux édités par Nathan et par Hatier. Reportez-vous aux conseils que je vous ai donnés pour les 3 à 6 ans et qui restent toujours valables. Dans la mesure où ces logiciels ont un caractère pédagogique, votre présence au côté de l'enfant est, au moins au début et à la fin de l'exercice, indispensable si vous voulez qu'il fasse de réels progrès de concentration.

EN GUISE DE CONCLUSION :
SUPPLIQUE AUX ENSEIGNANTS

Si les enfants ont du mal à se concentrer, « c'est la faute aux parents », « c'est la faute à la télévision », « c'est la faute à la société de consommation... », disent volontiers les enseignants.

Mais le pouvoir scolaire joue-t-il vraiment son rôle ? Nous avons vu combien l'enfant a besoin de motivation, combien il faut l'aider à se concentrer. Or, sur ce sujet, je le dis, que de fautes sont commises... au nom de « l'Éducation nationale ». Et ces fautes sont évidentes très tôt, dès que nos enfants sont mis entre les mains de l'école ; non pas que chaque maître, chaque maîtresse, individuellement, ne soit pas animé par une vocation enthousiaste, mais les idées toutes faites du système, l'enseignement en prêt-à-porter, les enferment souvent dans un carcan si rigide que toute avancée est brimée.

Car l'école est devenue une enceinte close, un « État dans l'État » ; nous, les parents, n'y pénétrons que rarement, par manque de temps, de volonté, par démission, par impuissance mais surtout parce que l'école s'est progressivement refermée sur elle-même.

Et comment se concentrer, à 3 ans, lorsque la porte de l'école dite « maternelle » s'est close devant vous, laissant maman dehors ? Comment se concentrer, au milieu des dizaines de bambins qui vous entourent, de grands bébés de 3 ans, hurlant, arrachés à leur mère ? Je ne crois pas que ces rentrées-couperets soient un bon départ. La maternelle – comme son nom l'indique – devrait être ouverte aux mamans. Certes – les maîtresses me le disent – tous les parents ne sont pas demandeurs, loin de là : la plupart travaillent et n'insistent pas pour être intégrés à la vie de l'école... Mais je trouve l'excuse un peu facile. Bien sûr, il y a des parents qui travaillent, mais la plupart d'entre eux sont prêts à se libérer au moins quelques jours à la rentrée pour adoucir l'intégration de leur enfant. La déchirure brutale de l'entrée en maternelle est inadmissible. Et le reste de la scolarité n'est pas plus favorable à la concentration.

Comment se concentrer ensuite, lorsque mes parents ne savent même pas ce qui se passe, pour moi, à l'école ? Certes, il y a des réunions pour les parents – et ils ne sont pas tous là, disent encore les maîtresses. Mais comment sont organisées ces réunions ? Ce sont de grandes messes, dont le prêtre est l'enseignant. L'institutrice explique la méthode et vous fait savoir que vous n'êtes pas là pour parler de votre enfant en particulier. Oui, l'institutrice a mille raisons professionnelles pour se sentir seule et incomprise, détentrice pendant quelques heures de la responsabilité des esprits des enfants. Cela explique que les écoles organisent en début d'année un cours magistral pour que les parents adhèrent à la pédagogie. Mais est-ce la meilleure façon de les concerner ?

*Les parents font confiance à la pédagogie
de la maîtresse.*
Leur problème est bien plus d'obtenir des rendez-vous fréquents et des contacts aisés pour parler de leur

enfant, en particulier. Certains parents sont très occupés, certains démissionnent. Mais on a d'autant plus de parents démissionnaires que l'accueil n'est ni chaleureux ni partenarial. Pédiatre, il m'est arrivé de faire, après la classe, à l'école, invitée par des associations de parents, des conférences sur la psychologie des enfants, sur leurs rythmes de concentration, les conséquences sur le travail à donner à la maison... il n'y avait aucun enseignant présent, mis à part le directeur ! Ils avaient probablement de nombreux motifs de n'être pas là, aux côtés des parents. Mais je pense que ces derniers seraient beaucoup plus concernés si les portes des enseignants leur étaient vraiment ouvertes. Ils seraient pour l'école de véritables auxiliaires d'instruction. Les liens affectifs, spirituels et intellectuels, base de la structuration des esprits de nos enfants, doivent être partagés et non abandonnés à d'autres, quels que soient leur compétence et leur dévouement. Par un meilleur partenariat avec les parents, les enfants seraient plus motivés, donc plus concentrés.

Nous avons vu que les troubles de concentration peuvent se révéler tôt et quel travail formidable des parents avertis peuvent déjà faire pour prévenir les difficultés scolaires. Les enseignants devraient pouvoir dépister plus souvent, dès la première année de maternelle, les difficultés des enfants. Certaines méthodes sont à leur disposition pour reconnaître en particulier la dyslexie, qui peut expliquer les troubles de la concentration. Encore faut-il que leur opinion ne tombe pas comme un couperet culpabilisant le parent et dépréciant l'enfant, mais comme un encouragement à s'en occuper.

Établir un vrai partenariat avec les parents, c'est aussi chasser les a priori de l'enseignant.

229

Ainsi, si un parent constate que son enfant est intellectuellement précoce, il a bien peu de chance aujourd'hui d'obtenir un passage anticipé au cours préparatoire, même pour un ou deux mois d'avance d'âge. Or, un enfant particulièrement doué risque de s'ennuyer à l'école et de devenir déconcentré. J'ai souvent constaté combien, lorsque les tests de quotient intellectuel chiffraient la précocité de l'enfant, on évoquait, pour le faire stagner en maternelle, un « défaut de maturité », concept qui n'est pas facilement mesurable. Ainsi, les maîtresses ignorent-elles, en moyenne, un enfant précoce par classe... Car les enseignants partent facilement de l'idée que les parents veulent faire de leur enfant un « singe savant ». En pratique, lorsque je discute avec les parents, je n'entends pas ce langage, ce n'est pas du tout ce que j'entends ; beaucoup d'entre eux sont au contraire attentifs à ne pas exercer une pression sur leur enfant, mais leur avis de toute façon sera rarement écouté, car le contact véritable n'a pu être établi avec l'instituteur. On noiera le poisson à la maternelle en parlant de « groupes », faibles et forts, de telle sorte qu'on dira aux parents : « Nous le laissons dans la maternelle des grands, mais dans un groupe fort. » Cela conduira tout de même l'enfant précoce à faire quatre ans de maternelle et à se retrouver très grand et précoce à s'ennuyer ensuite au collège, puis au lycée. Même si je comprends les difficultés des enseignants, je m'insurge contre ce pouvoir d'empêcher le passage anticipé lorsque les parents sentent que leur enfant s'ennuie.

Halte aux redoublements ! Le redoublement, si souvent encore proposé aux parents, n'est absolument pas une solution en cas de difficulté scolaire et particulièrement de difficulté de concentration. Tout au long de ce livre, je vous ai expliqué les attitudes et le travail avec les spécialistes qui peuvent faciliter la concentration des enfants. En aucun cas nous n'avons imaginé que refaire deux fois le même travail avec des enfants plus jeunes résoudrait les problèmes. Les statistiques le prouvent : les enfants qui redoublent dans le primaire resteront le plus souvent en échec au secondaire !

Adapter les rythmes scolaires aux facultés de concentration de l'enfant. Actuellement les rythmes scolaires semblent davantage conçus pour le confort des enseignants que pour les capacités d'attention des enfants. Ceux-ci doivent se concentrer pendant de nombreuses heures de cours, sur de longues journées, avec, en plus, un travail pour le soir, cela pendant quelques semaines. Ils ont ensuite des coupures de vacances répétées et longues pendant lesquelles les connaissances ont tendance à s'effacer. Ils sont alors livrés au désœuvrement et donc à la télévision et aux jeux vidéo, ce que j'ai appelé la « concentration négative ». Or, chaque fois que l'on veut améliorer ces rythmes scolaires, en multipliant les jours de classe, mais en raccourcissant chaque journée, on se heurte à des forces et des résistances organisées, notamment les syndicats d'enseignants : ils ont pour fonction naturelle de défendre les intérêts corporatifs, mais le pouvoir politique est prisonnier de l'organisation de cette administration qu'il n'a pas su moderniser.

La lutte contre la violence dans la cour de récréation fait aussi partie des aides à la concentration. Or, le discours actuel tenu à l'école m'étonne beaucoup. Si vous vous plaignez lorsque votre enfant se fait mordre ou frapper dans la cour, on vous répond souvent : « Il faut qu'il apprenne à se défendre. » Ainsi enseigne-t-on la violence par la violence. Autrefois, au temps de ma mère, elle-même enseignante, on aurait interpellé l'enfant bagarreur et on aurait expliqué en quoi le plus fort est celui qui est... « plus fort que ses mains », et fait marcher son intelligence et son cerveau. Mais aujourd'hui cette éducation civique n'est pas faite au quotidien, et l'on encourage en fait la culture de la violence.

La télévision est devenue le bouc émissaire de l'incompétence pédagogique. Si les enfants sont déconcentrés c'est de sa faute ; mais je pense qu'il vaudrait mieux s'en servir comme outil pédagogique. Or la télévision a été longtemps ignorée dans l'école, souvent par manque de moyens. Si les enseignants collaient plus à l'actualité, aux événements du monde, à la culture propre aux enfants de la classe, s'ils utilisaient plus le magnétoscope pour commenter des films intelligents, s'ils tiraient un enseignement aussi bien géographique que culturel de certaines émissions passionnantes, leurs élèves apprendraient à se servir de l'outil télévision. Cette éducation incombe à l'école ; et pas seulement les matières absconses qui font partie des programmes depuis des décennies, complètement coupées du monde réel de la famille et de la société moderne.

Les devoirs du soir : la grande tricherie. En effet, théoriquement, il est interdit à l'école primaire de donner des devoirs écrits à la maison. En réalité, la plupart des enseignants en donnent et, il faut bien le dire, sous la pression des parents. En effet, ces derniers se rendent compte que beaucoup de notions n'ont pas été comprises pendant la classe et qu'il est important de pouvoir les expliquer à nouveau le soir : le devoir du soir est un lien entre l'enseignant et les parents. Actuellement, on donne des devoirs du soir et on suggère le plus souvent aux parents de ne pas s'en occuper, pour que l'enfant soit « autonome ». Or un enfant d'âge du primaire est très exceptionnellement autonome. Votre participation, votre présence et vos encouragements favorisent sa concentration. Demander automatiquement que les parents ne s'en mêlent pas, c'est encourager la tricherie ; car, en fait, les enseignants refusent de reconnaître à quel point leurs bons élèves sont ceux qui sont aidés ; les parents qui prennent à la lettre les conseils de laisser leur enfant travailler seul le désavantagent, puis le grondent.

Halte aux nouvelles pédagogies. On a tout vu : la « méthode globale » de lecture, les « maths modernes », les nouveaux termes de grammaire. Quelle est la maman d'aujourd'hui qui peut apprendre à son enfant la classification des subordonnées alors que la terminologie a changé du tout au tout ? Nos parents étaient aussi bons pédagogues en grammaire, et ces modifications ont créé un fossé entre les parents et l'enfant. Ils ne peuvent plus compléter l'action pédagogique de l'enseignant puisqu'ils ne connaissent pas les nouveaux termes, alors qu'au primaire les mathématiques sont éternelles et immuables. Pourquoi créer ce fossé et ainsi décourager les parents de transmettre les bases de l'instruction à leurs enfants ? Pour ensuite leur reprocher de ne pas être présents et de ne pas être motivés...

À quand des salles d'étude équipées d'ordinateurs et de logiciels pédagogiques connus et utilisés par des professeurs réellement adaptés à ces techniques modernes ? L'ordinateur est entré à l'école par la petite porte avec un mauvais usage, et sa pénétration est bien timide encore, même si certaines écoles « de pointe » se lancent. Les enseignants ont été effrayés car ils n'ont pas la pratique de cet outil et on a voulu faire des plans informatiques qui leur imposaient des connaissances inutiles. Ils ont toujours la nostalgie de la bonne tenue du stylo, comme ma maman avait celle des « pleins », et des « déliés », avec le « porte-plume ». La feuille sortie de l'imprimante ne leur paraît pas relever d'une véritable culture intellectuelle, un devoir ainsi rendu est souvent refusé. Nous avons pourtant vu dans ce livre l'importance de l'outil informatique pour développer les connaissances. Seuls les enfants de famille aisée et instruite y ont droit actuellement. Toutes les salles d'étude devraient être équipées d'ordinateurs pour que les écoliers les moins favorisés puissent travailler après la classe avec un enseignant ayant appris le b a-ba du logiciel.

À l'Éducation nationale, la philosophie, apparemment généreuse, est l' « égalitarisme » : tous les enfants doivent avoir la même pointure. Ce qui aboutit au nivellement avec exclusion : seuls les élèves moyens s'en tirent ; un enfant en difficulté recevra bien peu de secours et ne sera pas dépisté précocement, un enfant précoce devra se conformer au système et ne bénéficiera que rarement d'un passage anticipé. Or tous les enfants n'ont pas le même pied et rien n'est plus douloureux que de s'adapter à un enseignement fait uniquement pour l'élève moyen comme de porter une chaussure trop petite ou trop grande ! Impossible de bien se concentrer lorsqu'on a mal au pied...

Voilà donc ma supplique aux enseignants qui permettrait de réconcilier l'enfant avec l'école et de l'aider à se concentrer bien plus facilement :
– ouvrez très largement les portes aux parents ;
– considérez-les comme de véritables partenaires ;
– dépistez précocement les difficultés de concentration ;
– évitez les redoublements stupides ;
– acceptez l'outil informatique comme aide à la pédagogie.

Vous serez ainsi de ces enseignants modernes qui apportent une aide précieuse aux enfants.

Mais c'est à nous aussi, parents, responsables politiques et administratifs, de donner à nos enseignants toutes les conditions pour qu'ils puissent redevenir les maîtres d'école auxquels les parents confient l'avenir de la jeunesse sans abandonner leur responsabilité d'éducateurs. Mesdames et messieurs de l'école, vous êtes les garants de l'épanouissement des enfants que nous vous confions, les vecteurs de l'excellence. Sans vous, rien n'est possible. Nous avons besoin de vous, vous avez besoin de nous. Vous devez être des pionniers aujourd'hui comme hier. Je vous supplie de m'entendre comme je demande aux parents de vous entendre; afin que nous puissions mieux nous rencontrer.

Bibliographie

BOYSSON-BARDIES B. de, *Comment la parole vient aux enfants*, Odile Jacob, Paris, 1996.

BREZNEITZ Z., FRIEDMAN F., « Toddlers'concentration : does maternal depression make a difference ? », *Journal Child psychol. psychiat.*, volume 29, n° 3, Grande-Bretagne, 1988.

CAPONNI I., « Attention et scolarité », *Psychologie et éducation*, n° 28, 1997, pp. 11-21.

CAPONNI I., LECUYER R., « Processus attentionnels dans la seconde année », *Enfance*, tome 47, n° 4, 1993, pp. 347-358.

Centre international de l'enfance, *La Relation enfant-télévision : implications physiques, psychologiques, éducatives et sociales*, TIE, Paris, 1991.

CHANGEUX J.-P., *L'Homme neuronal*, « Pluriel », Hachette, Paris, 1998.

COHEN R., *Plaidoyer pour les apprentissages précoces*, PUF, Paris, 1985.

COHEN R., *Les Jeunes Enfants, la découverte de l'écrit et l'ordinateur*, PUF, Paris, 1997.

CREPON P., *Les Rythmes de vie de l'enfant*, Retz, Paris, 1988.

CYRULNIK B., *Les Nourritures affectives*, Odile Jacob, Paris, 1993.

DEBRAY R., *L'Intelligence d'un enfant – Méthodes et techniques d'évaluation*, Dunod, Paris, 1998.

DEHANE-LAMBERTZ G., « Comment la langue devient-elle maternelle, nouveaux aperçus sur les premières étapes de l'acquisition du langage », *Pédiatrie*, volume 1, janvier-février 1998.

DROUIN D., EVERETT J., THOMAS J., « Performance attentionnelle, mécanismes d'inhibition et rôle du cortex frontal dans le trouble d'attention et d'hyperactivité chez l'enfant », ALAE, 1991 ; 3, 141-8.

EPELBAUM C., « Troubles du langage : aspects pédopsychiatriques », *Réalités pédiatriques*, n° 25, octobre 1997.

GAILLARD F., « Attention et lecture chez l'enfant », *Journal de pédiatrie et de puériculture*, n° 1, Lausanne, 1994.

GOODENOUGH F., *L'Intelligence d'après le dessin*, PUF, Paris, 1957.

HUTEAU M., LAUTREY J., *Les Tests d'intelligence*, La Découverte, Lisieux, 1997.

ILLINWERTH R.-S., *Développement psychomoteur de l'enfant*, Masson, Paris, 1978.

KEMPS H., WALBOM O., *Médecine et Enfance*, Paris, 1998, pp. 364-365.

LECONTE-LAMBERT C., *Les Rythmicités de l'efficience attentionnelle : apports théoriques et réflexion pratique*, Université de Lille-III, Lille, 1991.

LIEURY A., *La Mémoire de l'élève en 50 questions*, Dunod, Paris, 1998.

MAURER M.-T., FREILINGER J.-P., « La concentration des élèves vue par leurs enseignants », *Enfance*, n° 1, 1994, pp. 51-70.

MICHAUD C., MUSSE L., NICOLAS J., BMEJEAN L., *Effects of breakfast-size on short-term memory*

PAPERT F., *Jaillissement de l'esprit : ordinateurs et apprentissages*, Flammarion, Paris, 1991.

TAMIS le MONDA C., BORNSTEIN M., *Habituation and Maternal Encouragement of Attention in Infancy as Predictors of Toddler Language, Play and Representational Competence*, Child Development, New York, 1989.

TERRASSIER J.-C., *Les Enfants surdoués*, ESF, France, 1989.

WIDLOCHER D., *L'Interprétation des dessins d'enfant*, Pierre Mardaga éditeur, Belgique, 1988.

ZILBO-VICIS M., « Étude par imagerie fonctionnelle cérébrale des pathologies psychologiques de l'enfant et de l'adolescent », *Médecine et Enfance*, Paris, mai 1998.

REMERCIEMENTS

Je tiens à remercier les membres de l'équipe qui me permet chaque jour de mieux aider les enfants en difficulté psychologique :
— Valérie Bisror, pédiatre ;
— Nathalie Dimitrijévic, psychologue, spécialiste de l'évaluation du développement ;
— Dominique Charton, psychothérapeute, spécialiste de thérapie comportementale ;
— Crystèle Bonnard, psychothérapeute, aide parentale ;
— Frédérique Wilson, orthophoniste de culture bilingue américaine et française ;
— Frédérique Valo, maman et première lectrice.
Je remercie mon maître, le professeur Serge Lebovici, qui m'a fait l'honneur de le lire et de l'approuver.
Je remercie ma fidèle collaboratrice, Véronique Fachet, qui connaît si bien tous mes petits patients et leurs mamans, et me permet, par sa vigilance affectueuse auprès d'eux depuis treize ans, de progresser dans mon travail.
Je remercie Murielle Guillaume qui a été remarquablement efficace dans le travail difficile de mise en forme de cet ouvrage.
Je remercie aussi par avance les lecteurs qui, comme pour chacun de mes livres, enrichiront mon expérience en me faisant part de leurs réflexions.

TABLE

Cet ouvrage a été réalisé par la
SOCIÉTÉ NOUVELLE FIRMIN-DIDOT
Mesnil-sur-l'Estrée
pour le compte des Éditions Robert Laffont
24, avenue Marceau, 75008 Paris
en février 1999

Imprimé en France
Dépôt légal : février 1999
N° d'édition : 39562 – N° d'impression : 45568